León Klein

El Libro Negro

de la

Inmigración

Colección Geopolítica | 4

Editorial Pyre

Producciones y Representaciones Editoriales, S.L.

A Rafa T.A. «El trinchas» y familia
(compañero de aventuras...testigo de mi reloj de arena)

Título: El Libro Negro de la Inmigración
© León Klein. 2003
© Pyre, SL
Diseño Gráfico y Soporte Técnico: Alejandro-César

1ª Edición: Octubre 2003

Producciones y Representaciones Editoriales, SL
Apartado de Correos 9288
08080 Barcelona
http://www.pyresl.com
E-mail: pyresl@pyresl.com
ISBN 84-932356-7-9
Dep. Legal: B-45.995 - 2003
Impreso en Romanya Valls - Capellades

I. Introducción

Después de casi cuatro años de aumento incesante del flujo de inmigrantes a España, finalmente, los partidos mayoritarios llegaron a un consenso el 11 de septiembre de 2003. Era tarde por que desde 1999 el fenómeno se había transformado en masivo. Sin embargo, desde el lejano 1990, PP y PSOE utilizaban indistintamente el tema de la inmigración como arma arrojadiza uno contra el otro y viceversa. El resultado ha sido que en ese tiempo existió una política de inmigración débil, vacilante y contradictoria. Pero no quedaba claro que las nuevas reformas pudieran asegurar el cese del «efecto llamada» y la regulación del fenómeno. Es más, tampoco estaba suficientemente claro que no operaran el fenómeno inverso.

Era la primera vez en mucho tiempo que PP y PSOE mantenían algún tipo de consenso en temas de Estado y probablemente esto era más importante que el acuerdo mismo. Ese día (segundo aniversario de los atentados contra Nueva York y Washington) el delegado del Gobierno en Canarias, Antonio López, explicaba que *«todos los inmigrantes irregulares que llegan al archipiélago en pateras son detenidos»*.

Ciertamente, ese día 127 «sin papeles» habían sido interceptados en las aguas de Lanzarote y Fuerteventura, pero nadie puede asegurar que todos los que ese día lo intentaron fracasaron en la aventura. Por lo demás, si todos resultaran detenidos no se entiende como otros seguirían pagando cantidades exorbitantes a las mafias marroquíes por una aventura condenada al fracaso. Pero, en cualquier caso, la opinión del delegado del gobierno es significativa: se intentaba tranquilizar a una opinión pública cada vez más inquieta por el fenómeno de la inmigración.

Los titulares de la prensa del viernes 12 de septiembre de 2003 tendían más a glosar la existencia del acuerdo PP-PSOE que a analizar el acuerdo en sí. En el momento en que se leían los puntos del acuerdo, se percibía que la reforma, difícilmente, haría otra cosa que acentuar el problema. Por que si bien por una parte se dice que «los inmigrantes que alteren el orden público serán expulsados en 48 horas», si bien se aumentan las penas a los miembros de las mafias de la inmigración y las sanciones contra los empresarios que contraten inmigrantes ilegales, por otra parte la introducción de un visado de tres meses para que el inmigrante pueda venir a España y buscar trabajo o la posibilidad de que pueda ser solicitado por hijos y nietos de españoles, harán que se recompongan mecanismos de fraude, huecos legales y situaciones masivas.

La presentación de un contrato de trabajo en estos momentos de precariedad laboral y contratos basura, no es garantía de estabilidad en el empleo. ¿Cuánto pagará un inmigrante que haya decidido permanecer en nuestro país por un contrato de unas semanas que le garantizará regularizar su estancia en España? Por de pronto, ya se sabe que 800.000 hijos y nietos de españoles residentes en América Latina que en su mayoría hasta ahora jamás se habían preocupado por sus orígenes, a la vista de la crisis Argentina y Venezolana, están preparando el viaje a la tierra de sus ancestros. Pero lo que más llama la atención son las restricciones para que la policía pueda acceder al padrón municipal: se juzga que si los inmigrantes temen ser vigilados por la policía no se inscribirán en el padrón (cuando lo hacen es para beneficiarse de la sanidad pública).

El resto de medidas sirven más para cuantificar el fenómeno que para remediarlo. Por mucho que las compañías aéreas entreguen las listas del pasaje y al cabo de unos meses la relación de pasajeros que no han utilizado los billetes de retorno, eso no va a hacer regresar voluntariamente a los inmigrantes ilegales a sus países de origen. Por que *lo esencial, a fin de cuentas, es si esta tercera modificación a la Ley de Extranjería logrará o no regular y contener los flujos migratorios que desde hace cuatro años están llegando masivamente a nuestro país.* Esta es la verdadera cuestión. Explicar, como hace SOS Racismo, que el PSOE es *«cómplice del discurso y la política xenófoba impuesta por el PP»* y acusarle de *«respaldar el racismo institucional»*, es algo tan demagógico que cae por su propio peso. Intentemos abordar el problema desde una perspectiva más seria.

Resulta extremadamente difícil abordar el tema de la inmigración sin herir alguna sensibilidad o sin que se prejuzgue la actitud de los autores. Sin embargo, pocos temas requieren un estudio tan pormenorizado como la inmigración habida cuenta que desde mediados de 2002 las estadísticas del CIS nos vienen anunciando que es percibida por los españoles como problema, tras el terrorismo, el paro y la inseguridad ciudadana.

En las páginas que siguen nos proponemos realizar un somero estudio sobre la inmigración en nuestro país para establecer si verdaderamente se trata de un problema o más bien es un bache coyuntural cuyo impacto deriva de su reciente irrupción en la sociedad española pero que no va a afectarnos de manera sensible en los próximos años.

Frecuentemente, la discusión sobre la inmigración está lastrada por lo políticamente correcto o por prejuicios racistas y xenófobos. Pues bien, en un estudio de este tipo es importante evitar la tentación conformista de lo políticamente correcto y huir de los apriorismos segregacionistas. Este apriorismo consiste en condenar a la inmigración casi por una diferencia epidérmica y corresponde a un racismo más o menos inconsciente.

Por su parte, lo políticamente correcto es una muestra extrema de «progresismo» que acepta acríticamente la posibilidad de movimientos migratorios ilimitados, la pérdida de las identidades nacionales, el mestizaje cultural (concepto extremadamente de moda) y tiene todos estos fenómenos como símbolos de un «progreso» ineluctable. «*No pueden ponerse puertas al campo*», resume la opción políticamente correcta que equivale a decir que sería justo aceptar, sin restricción de ningún tipo, a cuantos inmigrantes deseen entrar en España. Este principio se ha coagulado en un slogan defendido por la izquierda radical y algunas ONGs: «Papeles para todos». En su radicalismo, algunos han acusado de racistas y xenófobos a quienes son conscientes de la necesidad de oponerse a esa consigna.

No creemos que valga la pena recordar lo que es el racismo (tendencia excluyente en función del color de la piel y de la pertenencia a otros grupos étnicos) y la xenofobia (literalmente odio a todo lo que es extranjero), para decir que nos sentimos extremadamente alejados de estas posturas.

Desde el primer momento condenamos cualquier forma de racismo y xenofobia y desdeñamos, por ingenua, superficial e irresponsable, el «papeles para todos» que tiende a ignorar las verdaderas causas del conflicto y se centra solamente en el aspecto humanitario y solidario con la inmigración. Pero esta solidaridad no resuelve el problema, ni tan siquiera contribuye a explicar cuáles son sus causas.

A partir de estos exorcismos previos vamos a exponer las fuentes sobre las que hemos basado nuestro estudio: son tres, agencias informativas y medios de comunicación en general que en los últimos tres años han publicado abundantes noticias sobre la inmigración; entrevistas personales con afectados y personas que, por su situación, conocen el problema; y, finalmente, estimaciones personales, cuando no existan fuentes ni testimonios cualificados (lo cual en este tema ocurre con una inusual frecuencia).

La conclusión final a la que hemos llegado es que Europa Occidental tiene delante suyo un problema que se ha ido gestando en los últimos tres decenios (y en España en los últimos cuatro años…) y ese problema es la inmigración masiva.

Hemos hablado de estadísticas. Cuando el paro está íntimamente ligado a los procesos de globalización y estos tienen mucho que ver con las riadas migratorias de sur a norte, la inmigración se está configurando como algo que afecta a la vida cotidiana de los españoles. La pretensión de las páginas que siguen es analizar si va a afectar de una manera positiva o negativa.

Vamos a procurar también no olvidar la opinión de los interesados. No se olvide que el objeto de este libro es la inmigración. Difícilmente podríamos eludir la opinión de los inmigrantes en un trabajo de estas características. Hemos tenido en cuenta lo que piensan los inmigrantes al llegar a España, lo que encuentran y sus perspectivas. Esto demostrará que el camino de la inmigración no es un camino de rosas, pero sus espinas son, para muchos, preferibles a la situación que viven en sus países de origen.

En definitiva, lo que pretendemos es realizar un análisis caleidoscópico del fenómeno inmigratorio, desde casi todos los puntos de vista y desde su corta pero intensa historia. Intentaremos por todos los medios circunscribirnos a los datos objetivos... unos datos que no siempre existen. Resulta imposible, por ejemplo, saber algo tan básico como el número de inmigrantes que hay en este momento en España. Oficialmente no llegan a 1.200.000, pero hay fuentes que la elevan hasta 3.000.000 e incluso hemos oído testimonios que dan hasta 4.000.000. Por lo demás, sea como fuere se trata de cifras dinámicas.

Es imposible, sencillamente, saber cuántos inmigrantes hay en España por que día a día entran miles por todas las fronteras. Si, hemos dicho miles y hemos dicho por todas las fronteras. Sólo un número limitado –no pequeño, sino limitado– asume el riesgo de entrar en nuestro país en patera; la mayoría de inmigrantes ilegales, paradójicamente, entran legalmente por los aeropuertos y las fronteras terrestres. Y llegan de lejos: Colombia, Ecuador, China... Aterrizan en Barajas o en Ámsterdam para finalmente atravesar la ya inexistente frontera pirenaica.

Y esto ocurre día tras día, a velocidad creciente desde hace cuatro años. A decir verdad, las autoridades no parecen muy predispuestas a facilitar estadísticas ni datos contrastables. Los censos municipales y la inscripción en los padrones sirven para muy poco ante comunidades tan dinámicas como las procedentes de la inmigración. Por lo demás, ellos son extremadamente desconfiados, mientras se prolonga su situación de ilegalidad, a dar detalles sobre sí mismos. Existen barrios en nuestras grandes ciudades en las que resulta imposible saber cuánta gente vive al otro lado de cada puerta. No hay forma de establecer una estadística fiable sobre cuántos inmigrantes ilegales llegan día a día.

Todo esto es paradójico por que sabemos el número de linces que quedan en nuestros montes, el número de osos pardos que habitan en los Pirineos, tenemos los bancos de marisco establecidos, clasificados y censados en todas las costas españolas, pero ninguna oficina del Estado es capaz de saber con visos de verosimilitud, cuantos seres humanos llegados de fuera hay en nuestro país.

En muchos barrios de nuestras ciudades y pueblos, el paisaje ha ido cambiando rápidamente y han aparecido bruscamente gentes con otros rasgos, otro idioma y otra forma de vestir. En realidad sabemos muy poco de ellos: ni cuántos son, ni con qué intenciones vienen (si a quedarse para siempre o a trabajar solo durante unos años y volver a su país con la economía saneada), ni, por supuesto, qué piensan de nosotros o como ven su cultura y la nuestra. La inmigración es, para la mayoría de nosotros, un misterio. Este libro pretende aclarar algo este misterio.

Sobre el impacto que la inmigración pueda tener sobre nuestro país, quizás sea todavía pronto para percibirlo. Lo único que puede intuirse es que en la medida en que España es un país europeo, similar a otros, lo que ha ocurrido en éstos tenderá a repetirse en el nuestro. La inmigración masiva se inició en España a partir de 1999, apenas cuatro años antes de escribir estas líneas, poco tiempo para establecer el impacto real. Así que en este terreno va a ser inevitable la comparación con otros países, especialmente con Francia, Inglaterra e Italia. Y, en este terreno, advertimos, ya desde un principio, que la inmigración ha generado innumerables problemas en estos países y no es por azar que en Francia el debate central de las pasadas elecciones presidenciales haya sido el debate sobre la inseguridad ciudadana, mientras que en Italia la ley Fini-Bossi intente cortar de raíz los problemas creados por la inmigración masiva.

En Francia desde mediados de los años 60 se inició el flujo creciente de inmigrantes; hace ya cuarenta años. En España, el carácter masivo del fenómeno tiene sólo cuatro años. Pero hay que recordar que en estos momentos nuestro país es quien posee una tasa mayor de crecimiento de la inmigración de entre todos los que componen la Unión Europea. Es imposible pensar que este proceso acelerado puede realizarse sin profundas alteraciones en la sociedad española. Quien dice alteraciones dice probabilidad de conflictos; y dice también responsables... y víctimas, por supuesto. También examinaremos todos estos elementos.

Un Libro Negro no pretende otra cosa más que ser un libro realista. El negro es el color de la tierra, es, pues, el color de la realidad. Si percibiéramos un futuro optimista en este terreno, hubiéramos colocado otro color a la portada del presente volumen, sería, pues, un Libro Azul. Si se tratara de un libro confesional, es decir, que intentara transmitir una doctrina, sería un Libro Rojo. Este libro lo que pretende es situar primero y alertar después sobre el fenómeno y las consecuencias de la inmigración masiva.

La conclusión a la que hemos llegado no deja lugar a dudas: el negro es el color que mejor conviene a la portada de este volumen. Negro por que la sociedad española no está preparada para afrontar una inmigración masiva; negro por que en esta cuestión hay unas víctimas que son los propios inmigrantes; negro por que no sabemos cómo va a evolucionar este tema, pero de seguir los caminos por los que ha discurrido en otros países europeos no hay lugar al optimismo; negro por que las autoridades se niegan a reconocer que ahí, en la inmigración masiva, existe la posibilidad de problema y se niegan a reaccionar; negro por que es rigurosamente cierto que existe una correlación entre aumento de la inmigración y crecimiento de la inseguridad ciudadana; negro por las víctimas de esa inseguridad ciudadana. Por todo ello, el color de este libro es negro. A otros les corresponde, aclarar el color, nosotros nos hemos limitado a dar testimonio de cómo está la situación.

II
Por qué la inmigración, por qué ahora

España no ha sido un país receptor de inmigrantes, a menos que consideremos a romanos, griegos, celtas, vándalos, a las huestes de Tarik y Muza, a los almohades, e incluso al gran Carlos I, a los borbones o a las tropas napoleónicas como inmigrantes. Incluso en los años 70, cuando en Francia, Inglaterra y Alemania se inició la segunda oleada migratorio extraeuropea, los inmigrantes magrebíes y subsaharianos que llegaban a España estaban de tránsito hacia aquellas mecas de la inmigración. Los inmigrantes pakistaníes que llegaron a Barcelona a principios de los 80 y hasta mediados de los 90, mayoritariamente tenían como destino Londres. Ciertamente, a partir de 1973 se registró una debil presencia de argentinos, chilenos y uruguayos que decían huir de las dictaduras de sus respectivos países y que en buena medida contaban historias similares de represión y exilio. Se trataba de unos pocos miles de latinoamericanos que pronto se integraron entre nosotros o que, cuando varió la situación política en los países de origen, regresaron a ellos, o, coincidiendo con la crisis económica de la transición se fueron a probar suerte a otros países europeos. España no era todavía un país de inmigrantes. Y no lo sería sino hasta mediados de los años 90. En el 2003, justo en el momento de escribir estas líneas, acaban de estallar incidentes en el barrio de Can Anglada, en Terrassa. España es hoy el país que tiene una mayor tasa de recepción de inmigrantes de toda la Unión Europea. En poco tiempo –como diría Koestler–, hemos caminado del cero al infinito.

Estos vuelcos históricos no ocurren por casualidad. Algo los genera. Digamos inicialmente que la inmigración es algo *relativamente positivo* para los inmigrantes (que en algunos casos logran mejorar sus perspectivas personales) y *relativamente posivito* para los países receptores (que reciben unos contingentes de trabajadores que sin duda precisan); pero también tiene connotaciones *relativamente negativas* para los inmigrantes (que se convierten en un subproletariado desarraigado) y para los países receptores (que ven alterada su demografía, su sociología y sus hábitos tradicionales de vida). Lo que faltará por saber es si el balance de pros y contras da un saldo global positivo o negativo para todas las partes.

Este libro sostiene cuatro tesis:

– La primera tesis es que *los flujos migratorios son la consecuencia de un modelo erróneo de desarrollo* que se estableció tras la Segunda Guerra Mundial y que ha tenido y tiene a las NNUU como principal defensor.

– La segunda tesis es que, *los grandes flujos migratorios son uno de los resultados más perversos de la globalización.* Mientras, a nivel internacional, no se renuncie a la globalización insensata (o se limiten sus consecuencias y prácticas) que estamos viviendo desde finales de los años 80, la inmigración seguirá imparable.

– La tercera tesis es que *la inmigración no beneficia a la totalidad del país receptor sino sólo a algunos sectores de la vida económica*: favorece a algunos miembros de la clase empresarial, no a la colectividad.

– La cuarta tesis, la final, es que, *globalmente, la inmigración masiva es un fenómeno negativo* para el país emisor (que pierde a sus elementos más activos), para el país receptor (que sufre alteraciones culturales, sociales, étnicas y económicas) y para los propios sujetos (la inmigración masiva crea una masa de desarraigados que experimentan una sensación de incomodidad e inadaptación y no ofrece ningún tipo de seguridad en los ingresos).

Un modelo erróneo de desarrollo

La inmigración es el resultado de un modelo de desarrollo que ha imperado en los últimos 50 años. Ese modelo preveía que toda la humanidad pudiera llegar al mismo nivel debienestar en un plazo relativamente breve. En los años 50, los efectos de la Segunda Guerra Mundial se habían remontado en buena medida. La renovación tecnológica y los avances científicos y sanitarios, generaron la impresión errónea de que el Tercer Mundo (bloque relativamente homogéneo en relación al Primer Mundo, Europa y EEUU, y al Segundo Mundo, los países comunistas) podría remontar en un plazo inmediato el retraso económico-social que sufría. La experiencia ha demostrado que esta perspectiva optimista no se ha cumplido. Pero, al generarse y darse como posibilidad inmediata en el Tercer Mundo, algunos quisieron hacerla realidad, sino en sus propios países, donde se hizo evidente que era imposible, si al menos como opción personal eligiendo el camino de la inmigración.

Los avances de la medicina cuando han llegado al Tercer Mundo han generado un aumento explosivo de la población y una demografía desbocada que crecía a mucha mayor velocidad que el desarrollo económico. Mas aún, esta demografía ha sido una de las causas del marasmo del Tercer Mundo y ha creado un entorno pesimista. No solamente no existían posibilidades de satisfacer las necesidad de unas masas cada vez más densas, sino que el valor de su fuerza de trabajo disminuía a medida que aumentaba su número.

Además había que añadir que la escasa alfabetización del Tercer Mundo impedía un desarrollo efectivo y daba la posibilidad que camarillas tribales, élites corruptas, tiranuelos improvisados o simplemente gobernantes depravados o enloquecidos, se hicieran con el control de los nuevos países que ascendieron a la independencia en los años 50 y 60. Amin Dada, Bocassa, Macías, no son meros accidentes en la historia africana. No es raro que, cincuenta años después de haber obtenido su independencia el balance suponga una catástrofe total para África. En 1980 la renta per capita Áfricana era de 348 $, en el 2001 había descendido a 300 $, lo que implicaba la pérdida real del 50% del poder adquisitivo en apenas 50 años. Guerras civiles, hambrunas, epidemias, desgobierno, luchas tribales, han colocado a África en una difícil situación. Ahora ya no se vive el optimismo de los años 60. En 1958 un informe de las NNUU preveía que en 1975, África alcanzaría el mismo nivel de vida que Europa; en 1970 el mismo organismo internacional retrasaba la fecha hasta 1999 y, finalmente, en el informe sobre el desarrollo emitido por las NNUU, se pronostica que la zona estará desarrollada en el ¡2147!

Pero en Sudamérica las cosas no van mejor. En los años 50, determinadas zonas de Sudamérica habían alcanzado niveles máximos de desarrollo que no tenían nada que envidiar a Europa. Por lo demás, aquel continente no había tenido que sufrir en apenas 25 años dos guerras de aniquilación. Argentina era un país de futuro. Venezuela aprendía a vivir sobre bolsas inagotables de petróleo. Brasil incluso mantenía ambiciones hegemónicas regionales. Pero también en esta zona, al cabo de 50 años, la renta per capita ha terminado disminuyendo y tardarán dos generaciones en superar el bache.

Esta situación global afecta a los individuos que la sufren. Algunos de los sujetos más competitivos que viven en esos países comprenden que no existen posibilidades de promoción económica y emprenden el camino de la inmigración. No se les puede reprochar que busquen un futuro para ellos y para sus familias. No es que su voluntad sea abandonar su país, desarraigarse, sino que las situaciones extremadamente problemáticas de sus países los han expulsado y obligado a alejarse para sobrevivir dignamente.

Los partidarios de lo «políticamente correcto», en buena medida comparten el razonamiento anterior que apenas es una parte del problema; pero se equivocan al considerar que la voluntad de inmigrar no debe tener como contrapartida ciertos límites y regulaciones, o de lo contrario, los países receptores pueden verse también sometidos a desequilibrios y conflictos, como, de hecho, así ocurre. Cuando se suscita una discusión de este tipo inmediatamente alguien recuerda que la inmigración española a Alemania y Francia no supuso ningún conflicto en esos países y repercutió positivamente en la mayoría de quienes fueron a trabajar allí. Pero el razonamiento es falso.

En primer lugar no había grandes diferencias psicológicas y culturales entre los inmigrantes españoles y los países receptores. A fin de cuentas, todos éramos hijos de la cultura grecolatina, del cristianismo y del humanismo renacentista. Existían diferencias psicológicas, pero no culturales y, desde luego, nunca profundas. La prueba fue la facilidad con que los inmigrantes españoles se integraron en los países receptores, la nula conflictividad de los barrios mayoritariamente poblados por españoles y lo innecesario de habilitar presupuestos especiales para conseguir tal integración. Compárese ese modelo de inmigración con el que existe hoy en los mismos barrios que, cuarenta años después, han sido poblados por magrebíes. Todos los presupuestos destinados a lograr su integración apenas logran efectos.

Suele decirse que en esa época existía una diferencia abismal en el terreno económico entre España y Europa. Es cierto solo relativamente; esa diferencia era, en cualquier caso, pequeña y recuperable. En 1950 España crecía un 5'5% anual y en el período 1959-70 lo hizo a una velocidad del 8% anual. Había expectativas de mejora. La renta per capita española aun estando alejada de la europea, no le separaba una distancia abismal en la misma época. Todo esto hacía que no existieran incentivos para una inmigración masiva: los, entre dos y tres millones de trabajadores españoles en Europa fueron regresando paulatinamente a medida que se reducían y, finalmente, se eliminaban las desigualdades económicas, sociales o políticas. Se trataba de un tipo de inmigración que cumplía escrupulosamente la legislación del país receptor, estaba reglamentada, regulada y canalizada tanto en el país de origen como en el de destino. Era imposible que aparecieran problemas.

Compárese la inmigración (y la conflictividad) protagonizada por los españoles en los años 50 y 60 con las actuales olas migratorias procedentes del Tercer Mundo. Se verá que hay pocos puntos comunes. Frente a la relativa desigualdad de la economía española con la media europea de aquella época, se alza la radical y brutal desigualdad actual entre países receptores y emisores de inmigración: entre un 20 y un 30 a 1, es decir, de 1000 $ per capita a 20.000 $. Esto sin aludir a las diferencias culturales que han hecho inviable el camino de la «asimilación» (fusión del núcleo inmigrante con la población del país receptor), fracaso que ha abierto las puertas a la difícil «integración» (buena armonía entre las peculiaridades culturales y antropológicas de las bolsas de inmigrantes, en el seno de una sociedad receptora). En toda Europa los intentos de asimilación se han saldado con un estrepitoso fracaso; queda la opción de la integración. Pero no podemos ser excesivamente optimistas.

Marruecos es el principal emisor de inmigrantes hacia España. A pesar de mediar solo unas pocas decenas de kilómetros entre ambas orillas del Estrecho, es evidente que estamos hablando de dos sociedades completamente diferentes, apenas sin conexión alguna. Mientras en España la proporción de analfabetos se reducía apresuradamente en los años 50 y 60 hasta ser inapreciable, en el Marruecos de hoy el 50% de la población es analfabeta, pero, esta cifra oculta el gigantesco alcance del drama marroquí: el 80% de cuyas mujeres son analfabetas, cuando en España, el analfabetismo está erradicado. Pero, además, en ambas orillas del Estrecho existe una diferente valoración de la cultura y la educación. Mientras en el Norte el ansia de educación se relaciona con la competitividad y el progreso personal, en el Sur, el fatalismo religioso y las tradiciones sociales extremadamente arraigadas hacen que cualquier comparación sea completamente imposible por buena voluntad que se ponga en su búsqueda.

Los partidarios de lo «políticamente correcto» estiman que inyectando fondos para el desarrollo se lograría en apenas unas décadas remontar el atraso del Tercer Mundo. Pero se trata de un criterio «eurocéntrico» que intenta trasladar a otros países los criterios que en Europa se consideran válidos. Posiblemente el Islam sea la religión que conviene a los países árabes. Es, en cualquier caso, la que han elegido y posiblemente no estén dispuestos a renunciar a ella. Nadie puede pretender que los africanos, los andinos, los árabes, quieran vivir necesariamente según el modelo europeo laico y racionalista. No hay que olvidar que los gérmenes del pensamiento científico nacieron en Grecia y que no es por casualidad que el método científico y el máximo desarrollo de las ciencias haya tenido Occidente como marco geográfico.

Las campañas del 0'7% no pueden hacer olvidar la realidad: entre el 0'4% de media que los gobiernos europeos están entregando para el desarrollo en el Tercer Mundo y el 0'7% solamente existe un 0'3%. Es ingenuo pensar que ese 0'3% lograría cambiar la situación actual. Por otra parte, el desarrollo, incluso de países de buen nivel económico, precisa unas inversiones que la economía mundial, no está en condiciones de aportar, ni siquiera globalmente. La República Federal Alemana ha debido invertir 1'2 billones de dólares en 10 años para el desarrollo de los territorios de la antigua República Democrática Alemana, zona que vivía una situación de incomparable bienestar en relación a los países del Tercer Mundo. Júzguense si para compensar el desastre Áfricano, por ejemplo, los cientos de billones que habría que inyectar y que no existen en país alguno, ni siquiera en el conjunto de la humanidad.

El Tercer Mundo tiene un Plan Marshall constante –ese 0'4%– pero no logra arrancar. Ni siquiera es capaz de ofrecer una mínima sensación de bienestar a su población. Esta se ve obligada a huir. Pero el Plan Marshall tuvo éxito en Europa por que se daban unas circunstancias muy concretas que no están presentes en zonas enteras del Tercer Mundo: alto nivel de alfabetización, erradicación del pensamiento mágico, un extendido concepto de la democracia, existencia de élites tecnológicas capaces de aplicar sus conocimientos al desarrollo de sus comunidades, etc. A todo esto se le puede llamar en rigor «capital humano». Este capital humano se adapta perfectamente a las exigencias del desarrollo de tal manera que en una situación de tragedia –la Europa destruida de la postguerra– se aúnan voluntades que junto con una aportación de capital exógeno bastan para reconstruir en pocos años lo destruido y dar un nuevo impulso al desarrollo. En el Tercer Mundo, el analfabetismo, la presencia del pensamiento mágico (el arraigo extremo de supersticiones y religiones que impulsan al fatalismo y en buena medida incluso al fanatismo), los distintos parámetros culturales, la tradición, la ausencia casi total de valores democráticos, sustituidos por los valores tribales, etc, todo ello fue desconocido por quienes en los años 50, establecieron un modelo de desarrollo que carecía de fundamento por que ignoraba la distinta naturaleza del capital humano de unos y otros países. El error fue pretender universalizar el modelo europeo, cuando cada región debería de haber optado por un propio modelo de desarrollo y debería de haber triunfado el concepto una economía mundial de doble o triple velocidad, en lugar del concepto global de único paradigma de desarrollo y único estándar de progreso.

Cuando los amigos de lo políticamente correcto alaban el mestizaje cultural, lo hacen, como es habitual, desde un punto de vista eurocéntrico. Por que ese mestizaje ya ha tenido lugar en el Tercer Mundo. Piénsese por ejemplo en los bosques de parabólicas de las ciudades marroquíes en las que el joven magrebí, en paro, sin perspectivas, sumido en una sociedad feudal, puede ver las ciudades europeas, los lugares de diversión, los escaparates del consumo, y compararlo con su miserable realidad. ¿Qué sensación puede experimentar un joven magrebí cuando advierte en su monitor de TV que en Europa las mujeres no tienen el menor empacho en practicar el top-less en las playas, mientras las mujeres que tiene en torno suyo consideran una indecencia mostrar un tobillo? ¿Qué puede pasar por la cabeza de un joven marroquí cuando ve que buena parte de las estrellas de fútbol proceden de países Áfricanos? ¿por qué no puede ser, también él, un triunfador en Europa? Desde luego, en África no lo va a poder ser jamás. ¿Y el joven que no se siente solidario de las creencias religiosas propias de la mayoría de sus compatriotas o que se siente atraído por el pensamiento científico o por su aplicación técnica? ¿podrá satisfacer este anhelo en su país de origen? Muy limitadamente, desde luego, y además siempre correrá el riesgo de verse anegado por el integrismo, el fanatismo o los prejuicios derivados de la religión. ¿Cómo evitar que estos jóvenes vean en el Norte una tierra de promisión a todos los niveles?

El problema apenas tiene solución por que el interés personal (el del joven que ve en la inmigración la única salida) entra en contradicción con el interés colectivo del país receptor. Y es que en Europa no hay lugar para todos. La aparente ciudadela del bienestar, de la justicia y la democracia, no puede dar cabida a todos los que quisieran entrar en ella. Y es que el problema es que estos pensamientos y los anhelos de inmigración no están en el cerebro de unas exiguas minorías, sino de unas masas cada vez mayores y más empobrecidas. Por que la inmigración actual es un fenómeno de masas. Los problemas del siglo XXI, en el fondo, son problemas de masas: fumar un cigarrillo no provoca ningún daño, fumar una masa de cigarrillos mata; jugar a la ruleta una vez es una forma de quemar un tiempo de ocio, hacerlo masivamente supone una adicción; cuando los legionarios españoles de permiso traían algunos gramos de hachís no existía un problema, cuando la exportación de hachís se ha convertido en masiva ahí ha aparecido le problema de la droga. Así mismo, cuando unos miles de inmigrantes acudían a Europa a probar suerte, su impacto era imperceptible y fácilmente se asimilaban e integraban en la cultura y la sociedad europea: hoy se trata de una inmigración masiva, por tanto problemática.

Los dos direcciones de la globalización

Imaginemos una autopista. A un lado están los países del Norte, desarrollados, con un alto nivel de vida, economías extremadamente complejas, tecnológicamente avanzados, con sistemas de protección social, sistemas sanitarios y de comunicaciones extremadamente sofisticados, una demografía en crisis y, finalmente, con carencias en materias primas. En el otro extremo de la autopista se encuentran los países del Sur: que no consiguen salir del subdesarrollo, con estructuras sociales y tecnológicas arcaicas, en perpetuo boom demográfico, apenas sin coberturas o protecciones sociales, sus economías y sistemas sociales son primitivos y simples, su desarrollo tecnológico escaso. Estamos simplificando, por supuesto, pero a nadie se le escapa que el cuadro que estamos pintando coincide con la realidad global.

La autopista que une a estos dos extremos dispone de doble dirección. Por que la inmigración es un fenómeno bidireccional. Hay migraciones de Norte a Sur y en sentido contrario, de Sur a Norte. La primera recibe el nombre de «deslocación» (o «deslocalización») e implica el traslado de las estructuras de producción industrial, hasta ahora residentes en el Norte, al Sur, cerca de las fuentes de materias primas y en donde se optimiza la producción a causa de los bajos niveles salariales, el escaso sistema impositivo y, finalmente, la ausencia casi completa de sindicación y derechos sociales.

Los costes posteriores de traslado de las manufacturas a los mercados del mundo desarrollado son, en cualquier caso, muy inferiores al ahorro que obtienen las empresas desplazando las plantas de producción a África, al Sudeste Asiático o a México (en el caso de EEUU).

La otra dirección, la que genera flujos de Sur a Norte, es la inmigración, el fenómeno del que trata este Libro Negro.

Cuando al concluir la Segunda Guerra del Golfo en 1990, George Bush aludió a la creación de un Nuevo Orden Mundial, estaba dando el pistoletazo de salida de la era de la globalización. A partir de ese momento, deslocación industrial e inmigración masiva se desataron como fenómenos paralelos.

A este respecto cabe denunciar la contradicción de los antiglobalizadores de izquierda –uno de los sectores más comprometidos con lo «políticamente correcto»– que, condenando la deslocación, alaban la inmigración y defienden el «papeles para todos».

Una antiglobalización consecuente implicaría dos actitudes: una para impedir la deslocación, otra para cortar los flujos migratorios. Negarse a lo segundo, lejos de oponerse a la globalización, supone fomentar una de sus direcciones. En realidad, la mayor parte de la izquierda no está contra la globalización, sino a favor de otro modelo de globalización. Herencia y adaptación de lo que el marxismo llamó «internacionalismo proletario», cierta izquierda prefiere hoy reajustar este concepto para defender su propio modelo de globalización. Para ello ha articulado toda una teoría sobre los efectos benéficos del mestizaje, el enriquecimiento que trae la multiculturidad y ha emprendido una lucha contra el «racismo y la xenofobia», que en su óptica define a todo aquel que se permita dudar de que en la aceptación acrítica del fenómeno migratorio se halle una panacea universal.

Habitualmente dirigida por viejos militantes de izquierda, frecuentemente ex trotskystas, ajados por las peripecias personales, amargados por el hundimiento de su ideal de juventud (el marxismo en sus distintas variedades), la «vieja izquierda» se ha reciclado en el movimiento antiglobalizador, del que es una parte. Y lejos de romper completamente con el pasado, pretenden adaptar sus ideas antiguas y superadas, a los tiempos nuevos: los inmigrantes serán los «nuevos proletarios» que reconstruirán la «lucha de clases» en Europa, el nuevo proletariado que en su opinión sería un sector social objetivamente revolucionario; por lo demás, existirían naciones «proletarias» y «burguesas» y estas, deberían pagar las culpas del período colonial, admitiendo sin límites a la inmigración de los países damnificados por tal colonización.

Europa, para estos antiglobalizadores de izquierdas tiene la obligación de pagar hoy la colonización de ayer aceptando la instalación en suelo europeo de toda la inmigración que desee tomarla como objetivo. Solo así Europa podrá lavar sus culpas.

Este razonamiento insano, históricamente falso y antropológicamente etnocida, sólo podía ser defendido por los ex militantes marxistas, de izquierda y extrema-izquierda cuyo ideal de juventud se les ha deshecho entre las manos como un cubito de hielo siberiano. El complejo de culpabilidad por haber militado en las filas del movimiento comunista internacional, culpable globalmente de haber causado en sólo 70 años 100 millones de muertos, fue sublimado utilizando mecanismos freudianos extremadamente simples: se trataba simplemente de elegir alguien más culpable que ellos; pero los nazis habían asesinado a «sólo» seis millones de judíos, el desfase entre los 100 millones de víctimas del comunismo y los 6 millones de víctimas del nazismo eran desproporcionadas.

Así pues esa izquierda sublimó sus culpas encontrando a alguien más culpable que ellos: las potencias coloniales de antaño de las que los Estados Europeos del presente serían sus herederos. Europa era culpable, mucho más que cualquier otro, que el comunismo, por ejemplo; luego Europa debía pagar.

Este mecanismo mental, de sublimación del propio complejo de culpabilidad insertó en el sector neocomunista del movimiento antiglobalizador una contradicción insuperable que le restaba coherencia y objetividad en el análisis. Y en eso están.

Pero la cuestión es otra. Las necesidades de evolución del capitalismo (del capitalismo artesanal al industrial, del industrial al multinacional, del multinacional al globalizado) imponen la globalización para optimizar los criterios de rentabilidad. Este es el único dato que les interesa a los gestores del capital, los cuales lavan su conciencia afirmando –como hizo David Ricardo, uno de los máximos teóricos del capitalismo en el siglo XIX– que es preciso que existan bolsas de miseria para que el «progreso» pueda avanzar. Y ese es el centro de la cuestión. Si se acepta ese razonamiento se permanece en la esfera del «pensamiento único» (que sostiene la inevitabilidad del sistema capitalista y de sus secuelas como únicas vías abiertas para alcanzar mayores niveles de progreso). Para el capital todo es admisible mientras no se cuestionen sus fundamentos y el principal de todos ellos es la optimización de los beneficios. Lo que implique esto desde el punto de vista ético o moral, es algo que no le concierne. Por tanto, no es de extrañar que el capital globalizado y globalizador permanezca absolutamente insensible ante el destino de millones de desarraigados que huyen del Tercer Mundo para alcanzar los escaparates de consumo occidentales, ante clases populares europeas empobrecidas en su propia tierra y ante las alteraciones demográficas y antropológicas generadas por este proceso.

Los gestores de la globalización tienden a presentar la inmigración como nuestro destino. Para ello han elaborado argumentos de todo tipo. Habitualmente se trata de falacias destinadas a ser reproducidas por sus propagandistas en distintos medios de comunicación. En el capítulo siguiente de este Libro Negro intentaremos desmontar las falacias más repetidas.

Estos propagandistas de la inmigración empiezan explicando que «no se pueden poner puertas al campo» (si se pueden poner, especialmente cuando el «campo» se reduce a unos pocos pasos de frontera, aeropuertos y zonas habituales de pateras; por lo demás, los campos suelen roturarse, una vez escriturados sus títulos de propiedad). Prosiguen hablando de los derechos humanos olvidando que el primer derecho humano es la seguridad y que esa misma seguridad está en peligro en Europa a causa de un flujo migratorio descontrolado que las sociedades receptoras no pueden absorber. Facilitan más adelante argumentos económicos, de aparente solvencia que inducen a creer que sin la inmigración es inviable el sistema de pensiones o la realización de ciertos trabajos. Mentira. Es justo la inmigración descontrolada y masiva lo que puede hacer peligrar el sistema de pensiones. Y en cuanto a ciertos trabajos, probablemente serían cubiertos con nuestros propios conciudadanos... si se pagaran convenientemente. Finalmente, cuando ya los argumentos empiezan a escasear, los propagandistas de la inmigración globalizada claman contra el «racismo y la xenofobia» cuando no contra el «fascismo» puro y simple, y para atenuar lo insano de su carga de odio contra quienes advierten que la realidad objetiva desmiente todas sus afirmaciones, aportan grandes valores: «multiculturalidad», «mestizaje cultural», etc.

Todo esto ocurre ahora y no antes por una sencilla razón: el crecimiento de las fuerzas productivas y la optimización de los beneficios del capital trascienden fronteras y obligan a un planteamiento global. Antes no ocurría lo mismo. En el modelo surgido de la primera revolución industrial el jefe de la empresa y los obreros vivían cerca –separados, pero cerca–. A medida que los medios de comunicación y los transportes fueron proliferando y perfeccionándose ya era posible tener las plantas de diseño en un lugar, las oficinas comerciales en otro, la dirección en otro, y las plantas de producción en otro. Y a medida que las comunicaciones se desarrollaron y abarataron era posible que entre unos y otros existiera una distancia cada vez mayor. Finalmente, cuando aparece la «era tecnotrónica», primero con el fax, luego con Internet, más tarde con las videoconferencias, se vuelve fácil controlar toda la pirámide de producción sin moverse de algún piso elevado de cualquier rascacielos de Manhattan, desde donde los diosecillos del capital emiten sus directrices.

Cuando empiezan a darse todas estas circunstancias la globalización –que ya había despuntado y podía intuirse desde mediados de los años 60– se desata. Estamos en 1990, pero la primera edición del libro "La Era Tecnotrónica" de Berzynsky tiene fecha de 1973. Lo que va desde 1990 (final de la Guerra Fría con la caída del Muro de Berlín y desenlace de la Segunda Guerra del Golfo) hasta nuestros días es una carrera enloquecida hacia la globalización absoluta y total.

¿La inmigración beneficia al país receptor?

Es importante entender bien el razonamiento que sigue a continuación. Es evidente que la inmigración masiva genera beneficios *en el* país receptor. Pero hay que hacer algunas precisiones. Es fácil demostrar que el receptor de estos beneficios no es el Estado (en tanto que expresión organizada de una comunidad nacional), sino, más bien, el principal perjudicado; donde si genera beneficios es en ciertas capas empresariales que de no contar con una mano de obra barata deberían ver recortados sus beneficios al verse obligados a la contratación de mano de obra local a un precio más elevado.

En efecto: la inmigración beneficia a algunos sectores empresariales, pero no al Estado, es decir, beneficia a una parte, pero no al todo. Entonces ¿por qué los gobiernos no ponen más énfasis en cortar los flujos migratorios masivos? También es fácil entenderlo a poco que asumamos el hecho de que los partidos mayoritarios en nuestras sociedades democráticas occidentales no son sólo opciones políticas independientes surgidas de grupos de opinión, sino la traslación organizada de los intereses de determinados colectivos económicos. La crisis desatada en el mes de julio de 2003 en la Comunidad Económica de Madrid es buena muestra de lo que decimos: la evidencia de dos grupos de intereses inmobiliarios, uno conectado al PSOE y otro al PP, dieron como consecuencia la disolución de la cámara recién elegida y la convocatoria de nuevas elecciones, en medio de un clima bochornoso de corrupción. Fueron los intereses inmobiliarios los que precipitaron la crisis.

Pues bien, difícilmente encontraríamos otros sector económico más influyente en la política cotidiana y que, de paso, contrate a más inmigración. Para las constructoras la garantía de buenos contratos la da el contar con amigos (o vasallos) dentro de las esferas de poder (los partidos). Y, al mismo tiempo, la posibilidad de realizar esos buenos contratos a un mejor precio, optimizando el beneficio, se da mediante la contratación de mano de obra extranjera. De ahí que el PP no haya puesto mucho interés en frenar los flujos migratorios pensando, seguramente, que era preciso regular a la baja el precio de la fuerza de trabajo (los salarios), mediante la inyección masiva de mano de obra alógena, a la espera de que una vez llegado a ese punto, endurecería las medidas de entrada en España. Pero el PP ignoraba lo que era el «efecto llamada» y que cuando un gobierno ha mostrado debilidad en una determinada tarea, cuesta mucho restablecer la normalidad. Durante ocho años, la mayor parte de las energías del Ministerio del Interior se han concentrado en la lucha antiterrorista, obteniendo excelentes resultados en el desmantelamiento de ETA. Pero ese mismo Ministerio ha fracaso estrepitosamente en la lucha contra la inmigración masiva e ilegal... no por ineficacia de sus funcionarios, sino por falta de voluntad política del gobierno: esa falta de voluntad no era una carencia del PP, sino el tributo a los sectores económicos que se ven beneficiados por la llegada masiva de inmigrantes: construcción y hostelería principalmente.

Ya sabemos, pues, que estos sectores obtienen unos mayores niveles de beneficio y negocio, pero ¿y el Estado? ¿acaso no se ve beneficiado por la llegada masiva de inmigrantes dispuestos a colaborar en el crecimiento de la economía nacional? En absoluto. De hecho, lo que ocurre es justamente lo contrario.

En las páginas que siguen veremos hasta qué punto el fenómeno de la inmigración masiva e ilegal está relacionado con el aumento de la inseguridad ciudadana. Esto obliga al gobierno y al ciudadano particular a tomar medidas. El asesinato de un abogado y empresario, a manos de un criminal rumano, Pietro Arkan, obligó a muchas familias a contratar seguridad privada. Ciertamente, las mismas familias que contratan este tipo de servicios, ahorran al contratar jardineros, chóferes, asistentas, canguros, procedentes de la inmigración y, probablemente, muchas de esas fortunas deben sus ingresos en parte a la presencia masiva de inmigrantes... Pero ¿y el Estado? Veamos la Seguridad Social. En el último año 1 de cada 3 contratos dados de alta en el INEM era un ciudadano extranjero con permiso de trabajo y residencia, es decir, un inmigrante que ha conseguido legalizar su situación. Suele decirse que gracias a estos inmigrantes se lograrán pagar las pensiones de jubilación. Pero se trata de una falacia.

Es cierto que la Seguridad Social va a afrontar una crisis que compromete el futuro de las pensiones. La Seguridad Social irrumpe en España en un momento en el que la esperanza de vida es doce años menor que la actual, cuando apenas estaban integradas en el circuito laboral las mujeres que disponen de una esperanza de vida aún mayor. Nuestro sistema de pensiones está diseñado pensando en cotizantes que trabajan una media de treinta y cinco años y viven alrededor de diez tras su jubilación.

Era evidente que el sistema de cotizaciones y pensiones debía ser corregido y, técnicamente, solamente hay tres formas de hacerlo: o se retrasa la edad de jubilación, o se aumentan las cotizaciones, o se reduce la cuantía de las pensiones. No existe otra por mucho que los sindicatos se empeñen en no ceder derechos adquiridos y los partidos (sea cual sea) intenten no decepcionar al electorado. El sistema de la Seguridad Social precisa una profunda corrección.

Si en lugar de esa corrección, lo que se hace es importar masivamente mano de obra inmigrante, lo que se genera es el «pan para hoy y hambre para mañana», por que, esos trabajadores ahora contratados ¿no se jubilarán a su vez? ¿y quien pagará entonces sus pensiones de jubilación? ¿más inmigrantes? Y, a su vez, ¿qué ocurrirá cuando esta segunda generación de inmigrantes se jubile? ¿le sustituirá otra? En la práctica, esta concepción de la seguridad social recuerda los negocios «piramidales» en los que para que la cúspide obtenga beneficios (en este caso pensiones), es preciso que la base de la pirámide aumente constantemente... Y, al igual que en los negocios «piramidales», una caída momentánea en el nivel de ingresos, provoca el marasmo en toda la estructura. Por qué ¿qué ocurrirá si una de las crisis cíclicas del capitalismo detuviera la vitalidad del sector de la construcción? ¿qué ocurriría si el dinero especulativo en lugar de refugiarse en el ladrillo volviera a hacerlo en la Bolsa o simplemente se invirtiera allende fronteras? En esa circunstancia, no solamente no se recaudarían nuevos fondos para la Seguridad Social, sino que además, el Estado debería de pagar las consiguientes prestaciones por desempleo. Es fácil intuir que el tiempo por el que se prolonguen estas crisis cíclicas, absorberá los beneficios reportados por los nuevos cotizantes.

Pero hay algo peor y que el gobierno no ha tenido en cuenta: la sociología de las poblaciones que vienen. Salvo en el caso de los inmigrantes de Europa del Este, los que proceden del Tercer Mundo tienen una estructura muy particular: por cada miembro activo (es decir, cotizante a la Seguridad Social) hay un número indeterminado de miembros pasivos (mujeres, hijos, padres). Sólo uno cotiza a la Seguridad Social, el resto consumen recursos del Estado: unos enseñanza gratuita, otros becas de alimentación, otros libros de estudios gratuitos, todos beneficios de la tarjeta sanitaria, muchos ayudas sociales no contributivas.

Y para colmo, no hay que olvidar que el paro se está extendiendo como una mancha de aceite entre las comunidades inmigrantes. El número de inmigrantes dados de alta en la Seguridad Social, creció un 36% en 2002. A lo largo de todo el año se produjeron 228.405 nuevas filiaciones de extranjeros, de los cuales 204.783 fueron inscritos en el régimen general y 23.622 en el régimen comunitario. Entre enero y octubre de 2002 las tarjetas sanitarias para inmigrantes sin recursos pasaron de 358.616 a 507.491 a 10 de octubre ¡sobre un total de 2.000.000 de extranjeros entre legales e ilegales si hay que creer en las cifras oficiales! Si a esto restamos los 500.000 residentes de la UE, veremos que 1 de cada 3 inmigrantes no comunitarios carece de recursos. Por supuesto, la Seguridad Social se ha cuidado muy mucho de no ofrecer cifras sobre los gastos sanitarios de la población inmigrante, acaso por que es del dominio público que parte de las mujeres que llegan en pateras están embarazadas, como también es notorio que a las maternidades de Ceuta y Melilla durante mucho tiempo han ido llegando mujeres marroquíes intentado aprovechar las mejores condiciones sanitarias para dar a luz. A esto hay que añadir los 73.000 inmigrantes que percibían prestación por desempleo. Aun dando por cierta la cifra de 2.000.000 de inmigrantes –en nuestra opinión muy inferior a la realidad– se verá que, lejos de garantizar en su conjunto la viabilidad de la Seguridad Social y de las pensiones de jubilación en el futuro, es todo lo contrario. Y a este respecto hay que tener en cuenta, que los gastos sanitarios generados por la inmigración deben ser elevados a tenor del estado de salud en el que llegan algunos de estos inmigrantes, máxime cuando muchos, especialmente en el África Subsahariana, proceden de zonas en las que el virus del SIDA se ha enseñoreado; han llegado a nuestro país sin prácticamente cuidados sanitarios e incluso con problemas de salud más o menos graves. En España, pueden contar con el acceso gratuito a los mismos tratamientos que los españoles. Hace poco un médico de la Seguridad Social se nos quejaba de que los inmigrantes ecuatorianos están colapsando los servicios médicos por que entre ellos se ha vuelto habitual el solicitar una revisión médica general nada más son dados de alta en el régimen general de la SS o cuando se les entrega la tarjeta sanitaria.

Existe una dificultad para que un periodista independiente obtenga cifras reales sobre esta cuestión, máxime cuando, como veremos, ni siquiera está claro cuántos inmigrantes hay en este momento en España. Pero todo induce a pensar que, reduciéndonos sólo al ámbito de la Seguridad Social, lo que ingresan los inmigrantes en las arcas de su caja única está muy cerca de las prestaciones que reciben ellos y sus familias. No creemos que, dadas las características de las poblaciones inmigrantes, se esté en condiciones de afirmar que los ingresos que proceden de la inmigración, restada la cantidad que reciben en concepto de prestaciones de todo tipo ellos y sus familias y el seguro de desempleo los que están en paro, el resultado pueda considerarse esperanzador a la hora de pagar las pensiones futuras.

Pero hay más. Si contemplamos la inmigración como un fenómeno global que afecta a la totalidad de actividades realizadas en España, veremos que la capacidad que tiene la inmigración para producir riqueza se ve contrarrestada por los problemas y desajustes que la inmigración masiva genera en el Estado.

Veamos. Cuando es preciso desplegar guardacostas y patrulleras en el Estrecho, cuando es preciso instalar radares de alta tecnología para localizar pateras y cuando, las inversiones humanas y en equipamientos, deben movilizarse para aminorar el flujo de ilegales, este gasto hay que ponerlo en el Debe de la inmigración masiva, no en el capítulo de gastos generales del Estado. Cuando, las estadísticas demuestran que en tres años se ha llegado al límite de capacidad carcelaria y cuando los delitos han experimentado una brusca subida –tal como demostraremos– a causa de la inmigración masiva, es evidente que las inversiones en construcción de nuevas cárceles, reclutamiento de más fuerzas policiales, dedicación de los juzgados y funcionarios policiales, penitenciarios o de asistencia social, sin contar los presupuestos para la acogida de los inmigrantes o su repatriación al país de origen, etc, etc, todo ello sumado cuesta al Estado miles de millones; dudamos mucho de que el Estado recupere esta cantidad. La inmigración genera más gastos al Estado de los beneficios que produce a ese mismo Estado. Existe la sensación de que el Estado debe invertir en los problemas causados por la inmigración mucho más de lo que reciben de esta misma inmigración por cualquier concepto.

Para el 2004, los presupuestos de Interior y Justicia subirán un 8% a causa del aumento de la inseguridad ciudadana, un factor directamente relacionado con la inmigración masiva. Por eso nos reiteramos en lo dicho: la inmigración ilegal beneficia a algunos sectores patronales –es decir, beneficia a particulares–, pero menoscaba la viabilidad y salud económica del Estado –es decir, de la totalidad–. El Estado, a través de sus portavoces, los representantes del partido en el gobierno, ligado a los intereses de determinados grupos económicos, alude a los «cuantiosos ingresos obtenidos por las nuevas afiliaciones a la Seguridad Social», pero se niega a cotejar estos datos con los gastos generados por los inmigrantes no productivos, en paro, o que requieren ayudas sociales de cualquier tipo; alude a la reactivación de sectores económicos concretos, pero se niega a comparar las cifras de los ingresos de la Hacienda Pública que proceden de estos sectores, con los gastos generados por el fenómeno migratorio en sentido amplio.

Y se niega solamente por un motivo: por que no está muy seguro –o está demasiado seguro– de que las cifras no reflejen una situación sorprendente en la que los movimientos migratorios generan una mayor cantidad de gastos e inversiones, que los beneficios que pueden reportar al Estado.

Mañana, es posible que la cuestión no sea si gracias a la inmigración masiva se pagarán las pensiones, sino si a causa de la inmigración masiva el Estado no correrá el riesgo de quiebra. Y no se podrá tener la seguridad de esto no es así, si el Estado no asume una revisión de sus cuentas de manera clara y veraz poniendo a un lado todos los ingresos que derivan de la inmigración masiva y de otro todos los gastos que esta genera.

III
¿Cuántos son?
¿De dónde vienen?

El 3 de enero de 2003, oficialmente, España contaba con 1.324.001 extranjeros regularizados, apenas 210.000 más que el año anterior. Las cifras acababan de ser dadas por el Secretario de Estado para la Extranjería y la Inmigración, Ignacio González. Apenas tenían otros objetivos que pasar desapercibidas; en el fondo, 200.000 inmigrantes más, no era algo exagerado. Y por lo demás, la cifra total todavía era baja.

En principio, las cifras abarcaban solamente los seis primeros meses del año 2002. Así pues si en 6 meses había existido un incremento de 210.000 inmigrantes legalizados, la cifra real para todo el año debería rondar los 420.000 inmigrantes legales. Y es importante tener presente la coletilla de «legales», por que, de hecho, a pesar de lo que proclame el gobierno, daba la sensación de que la mayoría de inmigrantes que entran en España lo hacen con visado turístico, agotado el cual, se quedan hasta obtener su regularización. De hecho, a pesar de lo establecido por la Ley de Extranjería sólo un porcentaje ínfimo de inmigrantes tramita su permiso de residencia y de trabajo en los consulados españoles de sus países de origen, sino que lo hace en las oficinas de extranjería de los gobiernos civiles de nuestras provincias.

Y lamentablemente éste dato no está a disposición del público. No sabemos qué porcentaje de ilegales (sin que esta palabra sea peyorativa, sino que defina una categoría meramente administrativa) entran en España. En consecuencia, no sabemos el número total de inmigrantes que viven en nuestro país. Ni lo podemos saber. Ni es posible que el gobierno lo sepa. Y es mucho más probable incluso que no quiera saberlo. Pero puede intuirse.

A pesar de que las cifras no aparezcan en la gran prensa, los rumores circulan. Los funcionarios que tienen acceso a los datos de extranjería y aduanas no pueden evitar pensar, extrapolar sus datos parciales a la totalidad, y, por supuesto, los aduaneros suelen opinan entre sus amigos, sus familiares y hablan entre ellos sobre su trabajo y lo que ven día a día. También hay datos facilitados por patronales de sectores concretos –como veremos– que disponen de datos igualmente parciales, pero significativos. Así mismo, de tanto en tanto, algún ayuntamiento hace públicas cifras: unos por increíbles y otros por abultados, todos resultan igualmente significativas. Y, finalmente está la percepción que el ciudadano se forma cada día paseando por la calle y viendo la realidad que le circunda. Pónganse todos estos datos en una batidora, agítense, y se obtendrá una conclusión viscosa, opaca, turbia, pero extremadamente densa.

Las cifras oficiales tienen poco que ver con las cifras reales. Probablemente no existen muchos más inmigrantes en nuestro país de lo que las estadísticas registran, sino mucho más de los que podemos imaginar. Digámoslo ya: si puede deducirse con facilidad de la lectura de las estadísticas oficiales publicadas a principios del 2003 que el número de inmigrantes legales e ilegales es de 2.000.000, «muy probablemente» la cifra real posiblemente esté en torno a los 3.000.000 y hay fuentes relacionadas con Interior que la elevan incluso a los 3.500.000. Y, desde luego, sólo los portavoces del gobierno dudan de que a finales del 2003 se vaya a alcanzar esta cifra. Es decir, probablemente existe entre un 5% y un 7% de inmigrantes en España. Y no hay ningún motivo para pensar que esta cifra no deje de crecer en los próximos años. Todo lo contrario. Veamos como se ha llegado a estas cifras y analicemos algunos detalles sobre la composición de este flujo migratorio.

Las estadísticas oficiales del 2002 decían que en España vivían 500.000 extranjeros comunitarios. Se trataba de estudiantes o más frecuentemente de jubilados ingleses y alemanes que se han ubicado en el Levante español, Baleares y Canarias, cobrando pensiones muy elevadas para nuestro país que les permiten un razonable nivel de vida. En algunas zonas han generado verdaderas "islas" y es presumible que en los próximos años, terminen formando sus propias candidaturas municipales. Por lo demás pertenecen a la Unión Europea. Son europeos. Su cultura es europea. La distancia cultural, antropológica, su escala de valores, su mentalidad, no es muy diferente de la nuestra. La democracia ha contribuido a generar un mismo tipo de cultura política y la convivencia se ha mostrado perfectamente compatible. No es ese medio millón de comunitarios los que justifican este libro. Se sabe cuántos son, quiénes son y dónde están.

Luego están los inmigrantes procedentes de países no comunitarios. Dicen las estadísticas oficiales que Marruecos es el país que figura a la cabeza, con 263.174 inmigrantes (20,22%). No lo crean. La cifra es, sin duda, muy superior, posiblemente el triple. Y tampoco la cifra de ecuatorianos parece muy rigurosa; oficialmente son 132.628 (10,19%), pero si va usted un domingo por la tarde al madrileño Parque del Retiro es posible que intuya que la cifra real debe ser muy superior. Luego están 81.709 colombianos (6,28%), 42.578 chinos y 38.555 rumanos. Fueron ecuatorianos, colombianos y rumanos las comunidades extranjeras que más crecieron en el primer semestre del 2002: 67'75%, 56'59% y 56,32%, respectivamente.

¿Dónde se asientan? En Cataluña, oficialmente, había 238.190 (179.708 en Barcelona), 222.969 en Madrid, 88.534 en Andalucía (88.534). Esas mismas estadísticas afirman que es en Asturias (5.684), La Rioja (7.536), Cantabria (4.299), Melilla (1.903) y Ceuta (602) donde menos inmigrantes residen.

Hagan un esfuerzo de memoria. Recuerden su ciudad –especialmente si es una gran ciudad– hace ocho años. Usted iba por la calle y sólo en algunos barrios y en algunos trabajos encontraba inmigrantes. En 1995 apenas había ecuatorianos; colombianos pocos; argelinos menos; ni siquiera habían llegado los clanes romanís. Había algunos marroquíes y polacos en Madrid. Incluso en Canarias había poca inmigración extracomunitaria. Además se trataba de una inmigración de paso: los pakistaníes y argelinos que llegaban a nuestro país terminaban su singladura con Inglaterra y Francia respectivamente; pocos consideraban a España como destino final. Bien ¿ha recordado como era el paisaje de su ciudad en 1995? Compárelo con el actual: apenas han pasado ocho años pero en el suburbano, en cualquier trabajo, en las calles, en barrios enteros, usted ve a más y más inmigrantes. No el triple ni el cuádruplo, sino una cantidad a todas luces absolutamente desproporcionada con la de entonces. Este dato es, desde luego, acientífico, pero no por ello menos real.

En 1995 había 499.773 inmigrantes (habían aumentado un 8'20% respecto al año anterior), un año después habían entrado 39.211 y el incremento respecto al año anterior apenas era de un 7,40%. Al año siguiente (1997) el incremento había sido del 13'40% y del 18,01% en 1998, llegando a los 719.847 habitantes, una cifra que estaba en concordancia con la percepción que nos hacíamos en la calle. Se veían pocos inmigrantes y en total eran apenas el 1'8% de la población. La cifra podía ser real, máxime si tenemos en cuenta que quizás la mitad eran ciudadanos comunitarios polarizados en zonas geográficas muy concretas (Levante, Baleares y Canarias) o estudiantes. Cuando en 1990 apenas residían en todo el territorio nacional 278.796 extranjeros, sólo 137.589 eran de procedencia no comunitaria. Incluso en 1995, la cifra de comunitarios seguía siendo sensiblemente superior a la de no comunitarios (294.726 frente a 205.047). Fue precisamente en 1999 –el año clave en el estallido de la inmigración en España– cuando se produjo el «surpaso» oficial de no comunitarios sobre comunitarios. Ya eran 35.000 más (418.374 frente a 382.955).

Pero no fue la única cosa que cambió. Entonces la inmigración empezaba a ser «visible» y a adquirir un carácter masivo. En 1999 el aumento de inmigrantes fue apenas de un 11'35%, estableciéndose en 901.329. En julio murió Hassan II y, como si la mano que cerraba la frontera sur hubiera desaparecido, bruscamente se produjo un aluvión de pateras como nunca antes se había visto. ¿Quiere comprobarlo? Revise la prensa de aquella época, especialmente a partir del segundo semestre del año: la inmigración pasa a ser noticia constante, la llegada de pateras que hasta entonces se había producido en goteo, pasa a ser un flujo continuo y creciente. Por lo demás, en Andalucía, Almería, Málaga, y las grandes ciudades, empezaban a observarse conflictos de convivencia y en Terrasa y El Ejido se gestaba el caldo de cultivo que estallaría meses después. ¿Se empezaron a maquillar las cifras en aquella época? Lo ignoramos, sólo podemos afirmar que, a partir de ese año, se percibe un desfase creciente entre lo que dicen las estadísticas y lo que el ciudadano percibe directamente en la calle. Este desfase está justificado para el gobierno a causa de la inmigración ilegal sobre la que no existen cifras y es, por definición, incontrolable.

En el 2000, el incremento oficial fue del 11'78% y la inmigración registrada llegó a 895.720 personas. El año siguiente se experimenta un crecimiento espectacular: el 23'81% y el número total de inmigrantes se fija en 1.109.060 personas. Legales y «con papeles», por supuesto. Sobre los ilegales nadie tenía datos.

En el 2002 creció el número de inmigrantes detenidos al intentar entrar en España. Un total de 16.504 personas fueron interceptadas a bordo de pateras, un 11% menos que en 2001 (18.517), de los que 9.756 lo hicieron a Canarias y 6.748 a través del Estrecho. Ignacio González explicó que los motivos de esa preferencia a dirigirse a Canarias masivamente «sólo la conocen las mafias». Aludió a la impermeabilización de las fronteras de Ceuta y Melilla y a la actividad del Sistema de Vigilancia Exterior (SIVE), del que recordó que dispondrá de 27,3 millones de euros en 2003 para terminar de implantarse. No aludió a que para Marruecos la inmigración ilegal era una de las armas de «baja cota» que utiliza contra España junto a las exportaciones no menos ilegales de hachís y a la guerra económica. Tampoco dijo que algunos sectores marroquíes reivindican Canarias y que en el salón del trono del palacio real de Rabat se muestra el mapa del Gran Marruecos... que incluye a Canarias. Por que la historia venía de lejos...

El 8 de noviembre de 1992, Hassan II, anunció pomposamente la apertura de una campaña «implacable» contra la inmigración clandestina y la droga. Fíjense bien en la palabra («implacable») y en la fecha (1992): desde esa fecha tanto la inmigración clandestina como la droga procedente de Marruecos han centuplicado su entrada en España. De hecho en los tres últimos años, el cultivo de hachís se ha duplicado, la calidad ha aumentado y el proceso se ha industrializado; el Valle del Rif, hasta no hace mucho, la zona más pobre de Marruecos, es hoy, gracias al cultivo de hachís, la única de aquel país que absorbe mano de obra procedente de otras regiones. En la entrevista del Ministro de Interior, Dris Basri, con su homólogo español, Jose Luis Corcuera, informó sobre las «tajantes instrucciones» del soberano. La fecha era importante, además; se trataba de la primera ocasión en que el Gobierno marroquí reaccionaba «oficialmente» ante la situación creada por la inmigración clandestina en el Estrecho. Sólo que este flujo de pateras (entonces a sus pasajeros se les llamaba «balseros» o «espaldas mojadas») había comenzado tres años antes y nunca las autoridades marroquíes habían hecho la más mínima declaración, ni contestado comunicación alguna del Ministerio del Interior español, ni siquiera teniendo en cuenta que en ese momento ya se habían producido 400 muertes en el intento. Vean algunas cifras impresionantes en aquella lejana época:

– 1 de noviembre 1988.- Hundimiento de una patera cerca de la playa de Los Lances, en Tarifa (Cádiz). Diez muertos y nueve desaparecidos.

- 10 de marzo de 1989.- Una patera con 18 marroquíes se hunde frente a Algeciras. Diez muertos.
- 15 de mayo de 1989.- Naufragio de una patera al norte de Ceuta. Veinte muertos y cuatro supervivientes.
- 8 de junio de 1989.- Naufragio frente Tánger (Marruecos). Cuatro muertos y quince desaparecidos.
- 6 de febrero de 1992.- Veinte asfixiados en la bodega de un viejo pesquero. Los cadáveres fueron arrojados al mar.
- 12 de septiembre de 1992.- Una patera naufraga en Ceuta. Cinco muertos y tres desaparecidos.
- 26 de septiembre de 1992.- Dos pateras, con un total de 42 personas a bordo, naufragan en aguas próximas a Algeciras. Treinta y cinco desaparecidos.

Decididamente la cifra de 400 muertos esgrimida por la prensa marroquí no parecía muy abultada. Estas cifras registran los naufragios más espectaculares por número de víctimas, pero hay cientos de pequeños naufragios sin historia, sin titulares y sin nombres. La Administración marroquí no tuvo palabras para sus ciudadanos muertos, ni respondió a las quejas españolas hasta la «implacable» campaña anunciada por Hassán II. Esta campaña no era una casualidad, ni un gesto de buena voluntad o una iniciativa destinada a proteger a su pueblo de los peligros del cruce del estrecho en «pateras», sino que se produjo tras la reunión ministerial hispano-francesa celebrada una semana antes centrada en las relaciones entre la Comunidad Europea (CE) y el Magreb. En esa reunión se comunicó a las autoridades marroquíes que necesariamente debían «asumir su responsabilidad» en la lucha contra la inmigración clandestina. Marruecos, por esas fechas, recibía cuantiosos fondos de la Unión Europea para combatir el tráfico de drogas y mantenía la esperanza de poder encontrar alguna fórmula de integración en Europa. A diez años vista, aquellas medidas «implacables» contra el tráfico de drogas y las mafias de la inmigración se han revelado próximas al cero absoluto.

A decir verdad, al gobierno español le ha ido sólo algo mejor.

Allí donde el gobierno pudo presentar su gestión como triunfal fue en la desarticulación de 735 redes mafiosas en 2000, un 103% más que en el 2001. Fueron detenidos 2.070 responsables de estas mafias (un 69,25% más). Pero da la sensación de que se está hablando muy ligeramente de mafias a lo que, en realidad, sólo son individuos aislados o poco más. Por que si dividimos 735 «redes» entre 2.070 «responsables», vemos que la media por «red mafiosa» es de 2'8 personas. ¿Mafias de 3 personas? ¿no será más bien el patrón de la patera y el par de amigos que captan a los inmigrantes? ¿Eso es una «red mafiosa»? Es reconfortante, que se hayan detenido a 2.070 miembros de estas redes, pero tampoco hay que magnificar la cifra. Y lo mismo cabe decir sobre las repatriaciones de inmigrantes ilegales.

Crecieron las repatriaciones. Pero también aquí hay que realizar un «pero» a las estadísticas oficiales. En el 2002 se produjeron 79.467 repatriaciones, un 63,7% de aumento sobre el año anterior, con un ritmo de 204 repatriaciones diarias. Marruecos encabezaba la lista, con 23.381 devoluciones; seguido de Rumania, con 18.865; Ecuador, con 5.558; Bulgaria, con 5.399, y Argelia, con 2.431. No negamos la autenticidad de estas cifras. De hecho nada es más fácil que contar el número de expedientes de expulsión aprobados. Hemos dicho «aprobados», no «ejecutados»... Habitualmente un expediente de expulsión se resuelve mediante una decisión administrativa que se comunica al interesado, al cual se le da un tiempo para que abandonar España, nunca inferior a 72 horas. A partir de ahí, puede ocurrir que el interesado se dé por expulsado o no, obedezca la orden o no... En definitiva: se ignora cuántos inmigrantes expulsados han abandonado efectivamente el país. Se tiene sólo la seguridad con aquellos que han sido acompañados al país de origen por funcionarios del Cuerpo General de Policía.

Las cifras oficiales indican que en el 2002 descendió el número de pateras que cruzaron el estrecho y, consiguientemente, el número de detenciones y de naufragios. Estos últimos descendieron de 43 en el 2001 a sólo 9 en el 2002; es cierto que ese año, los atentados del 11 de septiembre y la ola de rechazo al mundo islámico que generaron, ralentizaron el tráfico de pateras; también descendió el número de víctimas conocidas (35 en 2002 y 86 en el 2001) y de la cifra de desaparecidos (20 en 2002 y 26 en el 2001). Pero es aquí donde las cifras oficiales son más contestadas. La Asociación de Trabajadores Inmigrantes Marroquíes en España (Atime), estima que al menos 4.000 inmigrantes perecieron en aguas del Estrecho entre 1997 y 2002. Este cálculo se basaría en el número de cadáveres que aparecen en las costas marroquíes y que no son considerados en las estadísticas españolas.

En 2002 hubo 6.227 peticiones de asilo y refugio; un descenso del 32% respecto al periodo anterior. ¿Por qué un descenso? Una de las posibilidades que se abrían al inmigrante para obtener su regularización era pasando como refugiado político y pidiendo asilo. España no ha sido tradicionalmente un país de asilo y pocos eran los autorizados a residir entre nosotros acogidos a esa posibilidad. Se admitieron a trámite 1.502, mientras que 4.131 fueron rechazadas.

La cuestión es por qué el gobierno intenta minimizar el problema de la inmigración ilegal. Resulta triste y ofensivo para los inmigrantes que las cifras que con más facilidad se disponen sobre empleos sean las de ANELA, la patronal de los «locales de alterne» que, cifran en 300.000 las prostitutas extranjeras que ejercen en nuestro país (cifra que algunas fuentes han contestado por excesivas, pero que aún reducida a la mitad, seguiría siendo sorprendente). Compárese esta cifra con la oficial de inmigrantes y se verá hasta qué punto es increíble. Por que, o la patronal de la prostitución ha hinchado sus cifras (y no vemos el motivo por el que haría tal cosa) o las cifras oficiales están minimizadas (y si entendemos que el gobierno por cuestiones electorales esté tentado de maquillar las cifras).

La patronal de la prostitución seguramente extrapola cifras

parciales a la totalidad con el riesgo consiguiente de error. Es una asociación privada y están en su derecho de equivocarse. No ocurre lo mismo con las cifras oficiales. Cuando se gestiona la *res publica* el derecho a equivocarse no existe: lo que existe es el error consciente o cometido por ineficacia, en cualquiera de los dos casos, inaceptable. Pero es razonable que el gobierno haya querido maquillar las estadísticas. Hay cuatro motivos principales. Veámoslo y comprobaremos por qué el PP se esfuerza en ocultar una realidad social que va a estallar bajo sus poltronas o bajo las de sus sucesores.

La primera razón es de orden político. Más adelante demostraremos la relación entre delincuencia e inmigración ilegal. Siendo el PP un partido de «centro derecha», su electorado es particularmente sensible a los problemas del orden público y la seguridad ciudadana. Y la inmigración no es un problema que el PP pueda achacar a los anteriores gestores del Estado: se ha gestado y ha eclosionado en exclusiva durante su mandato; a diferencia del paro, de los GAL o de la corrupción, el PP es dueño y responsable de la ausencia de política de extranjería. El Ministerio del Interior, merece un 10 en lucha antiterrorista (a diferencia de los equipos anteriores de Corcuera y Barrionuevo cuya gestión puede definirse como nauseabunda, si queremos ser piadosos), pero también merece un 0 en política de extranjería. Es natural que el PP intente minimizar su destrozo en esta área, maquillando las cifras y demostrando que el desmadre no es tal. Pero lo es.

En mayo de 2002, Aznar advirtió el enorme potencial explosivo del debate en torno a la inseguridad ciudadana. Lionel Jospin había pagado cara su ambigüedad en la materia y Chiraq se vio castigado por el electorado que reconocía la pertenencia a determinados grupos étnicos de quienes les amargaban la cotidianeidad con pequeños delitos. Le Pen –«el voto más seguro contra la inmigración»– fue seguido por seis millones de electores. El viejo refrán español «Cuando las barbas de tu vecino veas afeitar, etc.» inspiró la actuación de Aznar en los meses siguientes al marasmo electoral francés. Inicialmente decidió sacar pecho y hablar bien alto en la Cumbre de la Unión Europea en Sevilla. Aludió a que en Enero del 2003 se procedería a repatriaciones masivas, que se cortaría el flujo de ilegales y que existiría una legislación única europea en esta material. Ha pasado un año desde aquellas declaraciones. El problema sigue y, además, aumenta.

Había otra razón. Los intereses de la patronal. Para la patronal la inmigración es una posibilidad de mantener los salarios y aumentar beneficios. Como representante del centro-derecha, si la patronal se entiende bien con alguien es precisamente con él, con Aznar. Aznar puede diferir puntualmente de los criterios de la patronal, pero no ir jamás contra sus intereses. Y la patronal es la primera interesada en que el flujo de inmigrantes asegure que el precio de la fuerza de trabajo se mantenga a mínimos.

Y luego estaba el papel internacional de Aznar. Si desde EEUU llegaba la orden de que debía de haber inmigración, Aznar lo asumía; si desde EEUU llegaba la consigna de que Turquía era Europa –Turquía europea…– Aznar se convertía en el principal valedor de la europeidad turca. No puede extrañarnos, si Bush dice «guerra», Aznar sólo pregunta «¿dónde?», que quiere decir «si». ¿Por qué EEUU es el principal valedor del incremento de los flujos migratorios? Por dos motivos. El primero por que EEUU es el principal valedor de la globalización. Ya hemos visto que la globalización es la madre de todos los flujos migratorios. Además, EEUU es consciente de que la inmigración es susceptible de crear graves desequilibrios a países que no están habituados a recibir contingentes alógenos. Especialmente si se trata de países con un amplio pasado y un gran patrimonio tradicional. Además EEUU conoce perfectamente los conflictos que existen en la asimilación de contingentes islámicos. Sabe también como el Islam es difícilmente compatible con las concepciones laicas que animan a la Unión Europea. Sabe, en definitiva, que injertando poblaciones inmigrantes islámicas en Europa, puede surgir el conflicto a corto plazo. Desde principios de los años 90, uno de los objetivos de EEUU en Europa es la creación de un gran estado islámico, formada por Albania, la Bosnia musulmana, Kosovo y parte de Macedonia. Se nos olvidaba lo más importante: la Unión Europea es competidora económica de EEUU; en EEUU se sabe perfectamente que un país que empieza siendo competidor, termina siendo enemigo. Y se sabe también que al enemigo ni agua. Debilitarlo es la única política concebible con él. Aznar, sin embargo, tiene otro punto de vista.

Finalmente, la derecha siempre ha tenido un complejo de inferioridad cultural. La derecha española no ha sido precisamente en los últimos 25 años un dechado de capacidad intelectual. Cuando la derecha ha tenido que recurrir a intelectuales para realizar movilizaciones antiterroristas ha echado mano frecuentemente a intelectuales de izquierda o, ubicados inicialmente a la izquierda. Así que cuando el PP oye lejanamente los discursos ideológicos de la izquierda, se siente inerme y cede. El discurso sobre el mestizaje, el discurso sobre la multiculturalidad, el discurso sobre la globalización, el discurso sobre la tolerancia, etc. no tiene en la derecha del PP un discurso de réplica. Cuando la derecha oye hablar de todo esto, tiene tendencia a creer que se trata de veleidades de la izquierda y, no solamente no dispone de un discurso articulado y coherente sobre la materia, sino que además, ni siquiera lo considera necesario. La derecha está ausente del debate sobre la multiculturalidad pero es sensible a los calificativos con que la izquierda obsequia a quienes lo contestan: «xenófobos», «racistas»… y, por tanto, la derecha *no sabe | no contesta* sobre el tema.

Todo esto implica que en los años de gobierno del PP se ha gestado un conflicto en nuestro país. Ahora toca pagar las consecuencias por la negligencia, la dejadez, los complejos, los intereses y el servilismo ejercido desde 1996. Y lo peor no es no será sólo el PP quien pague, sino la totalidad de la sociedad española.

IV
Las Leyes de Extranjería

A principios de 2000 se promulgó la nueva Ley de Extranjería, que sustituía a la vigente desde 1985. A pesar de ser el PP el partido de gobierno, esta ley nació con la oposición del gobierno, apoyado por los partidos de izquierda y algunos nacionalistas. El PP advirtió que, en caso de obtener la mayoría absoluta, en las siguientes elecciones, modificaría la ley, como, de hecho, ocurrió. El 15 de diciembre de 2000, la nueva ley presentada por el gobierno fue aprobada por una cámara en la que el PP ya contaba con mayoría absoluta. Así pues, hemos de hablar de tres leyes de Extranjería en apenas 15 años: la de 1985, la de principios de 2000 y la que entró en vigor en el 2001...

Los textos legislativos relativos a la inmigración anteriores a la ley de 1985 respondían a la práctica inexistencia del fenómeno. Así, por ejemplo, en la ley de 30 de diciembre de 1969 se equiparaban los trabajadores hispanoamericanos, portugueses, brasileños, andorranos y filipinos, que residían y se encontraban legalmente en España, con los trabajadores españoles en sus relaciones laborales y su inclusión en los distintos regímenes de la Seguridad Social. Era un texto que en buena medida rezumaba una buena predisposición hacia los inmigrantes «luso-americano-filipinos», dentro del concepto de Hispanidad que subsistió en el tardofranquismo.

En las últimas fases de la transición democrática, en 1980 se promulgó el Real Decreto 1031/80 del 10 de mayo, que regulaba la concesión de los permisos de residencia y trabajo, que derogó textos anteriores (el Real Decreto 1874/78 de 2 de junio de 1978 y el 522/74 de 14 de febrero de 1974) sobre la misma materia.

El origen de la ley de 1985 hay que buscarlo en el proyecto de Ley Orgánica sobre Derechos y Libertades de los Extranjeros residentes en España remitido por el gobierno al Congreso el 14 de abril de 1981. Tuvieron que pasar cuatro años para que el texto, inicialmente redactado por UCD, fuera modificado y aprobado finalmente por una cámara en la que el PSOE era mayoritario. Básicamente se reconocían a los inmigrantes los derechos contenidos en el Título I de la Constitución, se regulaba la concesión de permisos de trabajo y residencia y los mecanismos y motivos de expulsión. El hecho de que, una vez aprobada, la ley tardara un año en entrar en vigor, indica a las claras que en aquel momento no existía problema alguno con la inmigración y se concedía a los pocos miles de extranjeros residentes en España un amplio plazo para que regularizaran su situación.

En sus 15 años de vida, la ley sufrió distintas modificaciones siempre en el sentido de una mayor protección de los derechos de la inmigración y de conceder cada vez más garantías para evitar expulsiones. En julio de 1987 se derogaron tres artículos y se facultó a los jueces para anular una decisión de expulsión.

En la tardía fecha del 2 de febrero de 1996 se aprobó la reforma del Reglamento de Ejecución de la Ley de 1985. En ese momento se implantó el permiso de residencia permanente, que evitaba que los residentes tuvieran que renovar periódicamente sus permisos. Quedaron tipificados los distintos permisos de trabajo y residencia, la reagrupación familiar, la regulación de los centros de internamiento, el régimen sancionador para los no nacionales, las circunstancias de expulsión y la regulación sobre visados de acuerdo con las directrices europeas y el acuerdo de Schengen.

La Ley de 1985 había sido contestada por numerosos colectivos sindicales (CCOO) y sociales (SOS Racismo) que solicitaban su derogación y el que fuera sustituida por otra capaz de «facilitar la convivencia en igualdad», que según ellos trataba a la inmigración pobre «como un problema policial, reprimiéndola». Estos colectivos criticaban a la Ley de Extranjería, especialmente a partir de mediados de los años 90 por considerar que había quedado desfasada al convertirse España en un país receptor de inmigrantes. Para estos colectivos la Ley de 1985 era insuficiente para regular estos nuevos flujos migratorios que entraban a mayor velocidad que cuando fue redactada. La ley, decían, no estaba preparada para soportar los retos que planteaban las primeras oleadas de inmigrantes de la globalización. Para estos sectores sociales y sindicales, orientados a la izquierda, la Ley de Inmigración debe, sobre todo, garantizar los derechos sociales y políticos de los inmigrantes extracomunitarios.

Estos grupos empezaron a movilizarse a partir del asesinato de Lucrecia Pérez y de los primeros naufragios en el Estrecho. Las Olimpiadas de Barcelona y la Expo de Sevilla, habían favorecido la entrada de inmigrantes –habitualmente marroquíes– que contribuyeron al buen fin de las obras. En 1998, los grupos proinmigracionistas presentaron en Interior 1.400 «autoinculpaciones» de personas que se declaraban objetores de la declararon objetores de la Ley de Extranjería: «Nos declaramos culpables de infringir el artículo 98 de la Ley de Extranjería, que sanciona con multa de hasta medio millón de pesetas a aquellas personas que ayuden o protejan a un inmigrante indocumentado». Esta iniciativa formaba parte de la campaña «Papeles para todos. Ningún ser humano es ilegal». La finalidad de la campaña era que «ningún inmigrante fuera considerado como ilegal en España por no cumplir determinados requisitos administrativos».

Esta presión social se unió al informe sobre migraciones elaborado por la Comisión de Política Social y Empleo del Congreso de los Diputados aprobado en abril de 1998. Este informe incluía anotaciones para la modificación de la Ley de Extranjería y la elaboración de un nuevo texto legislativo. De este informe surgió el proyecto de ley de principios de 2000, consensuado por los socialistas con otras fuerzas de izquierda. Como puede verse por su origen y orientación, se trataría necesariamente de un proyecto de ley extraordinariamente generoso con los derechos de los inmigrantes.

Tras aprobarse esta segunda ley se abrió un período extraordinario de regularización de inmigrantes ilegales que duró desde el 31 de marzo al 31 de julio. En ese período, las 245.000 peticiones de regularización desbordaron todas las previsiones y doblaron las que se esperaban. En la práctica durante este tiempo se produjo el «efecto llamada». Y tal es el origen de dicho efecto.

Fue este efecto el que esgrimió el gobierno del PP para cambiar el texto y hacerlo algo más restrictivo. Solo en ese año los tránsitos ilegales de pateras y que pudieron ser constatados habían pasado de ser 3.569 en 1999 a casi ¡15.000! en el 2000.

El 22 de diciembre de 1999 el Parlamento español aprobó la nueva Ley Orgánica sobre los Derechos y Libertades de los Extranjeros en España y su Integración Social, que sustituía a la legislación aprobada en 1985. Los aspectos más problemáticos de la ley fueron limados por el PP y CiU en el Senado. Ambos partidos habían alertado de la posibilidad de que la «generosidad» del texto promoviera un flujo masivo de inmigración.

Los puntos más polémicos se referían al reconocimiento de derechos a todos los inmigrantes residentes en España sin aludir a su situación de legalidad o ilegalidad; el mecanismo de regularización permanente que permitía legalizar su situación a quienes acreditaran dos años de permanencia en territorio español; la posibilidad de recurrir las denegaciones de visado ante los tribunales. Era imposible redactar una ley más progresista... y al mismo tiempo más ignorante de la legislación europea de la época.

Por que, desde la Cumbre de Tampere (1999), la Unión Europea había establecido una política común de asilo y gestión de flujos migratorios... algo que, literalmente, parecía traérsela al fresco al PSOE y sus aliados en esta aventura, IU, PNV y Grupo Mixto. Al aprobarse estas enmiendas, la izquierda intentó movilizar a la calle. Proliferaron las manifestaciones callejeras (no particularmente concurridas, por cierto), pero que abrieron el camino para que, de regreso al Parlamento, las enmiendas introducidas en el Senado fueran rechazadas.

La nueva ley estaba compuesta por 64 artículos. La primera disposición transitoria exponía que «El Gobierno establecerá el procedimiento para la regulación de los extranjeros que se encuentren en territorio español antes del día 1 de junio de 1999 y que acrediten haber solicitado en alguna ocasión permiso de residencia o trabajo o que lo hayan tenido en los tres últimos años». Una de las disposiciones finales establecía que «los que promuevan, favorezcan o faciliten el tráfico ilegal de personas a España serán castigados con las penas de prisión de seis meses a tres años y multa de seis a doce meses». El capítulo I, que se titulaba «Derechos y libertades de los extranjeros», las definía idénticos a los que gozaban los españoles: libertad de circulación, reunión y manifestación, derecho a la educación, al trabajo, a la asistencia sanitaria, a los servicios sociales y a la Seguridad Social. El artículo 10 precisaba que «todos los extranjeros menores de 18 años tienen derecho a la educación en las mismas condiciones que los españoles, derecho que comprende el acceso a una enseñanza básica, gratuita y obligatoria». El artículo 15 establecía que «los extranjeros, cualquiera que sea su situación administrativa, tienen derecho a los servicios y prestaciones sociales básicas». Se establecía que bastaba inscribirse en el padrón municipal para tener derecho a las prestaciones sanitarias necesarias desde el ingreso en un centro hospitalario o en un servicio de urgencias, hasta el alta médica. El reagrupamiento familiar quedaba contemplado en el capítulo II. Se reconocía el derecho de los familiares de los inmigrantes que residían en España a reagruparse con el residente; la medida abarcaba al cónyuge, a los hijos del residente y del cónyuge, los ascendientes del residente y cualquier otro familiar si se justifica por razones humanitarias. El capítulo III, aludía a las garantías jurídicas («los extranjeros tienen derecho a la tutela judicial efectiva») y a la asistencia jurídica gratuita. Luego, en el artículo 24, se regulaban los requisitos de entrada en España («se podrá autorizar la entrada de los extranjeros que no reúnan los requisitos establecidos cuando existan razones excepcionales de índole humanitaria»). Aparecía la figura de la «residencia temporal» (artículo 30) para la que era necesario acreditar «una estancia ininterrumpida de dos años en territorio español, figurar empadronado en un municipio en el momento en que formule la petición y contar con medios económicos para atender a su subsistencia». Los permisos de trabajo «se concederán por una duración inferior a cinco años y podrán limitarse a un determinado territorio, sector o actividad».

A decir verdad, la ley 4/2000 no entró con buen pié. Los socialistas pasaban por un período en el que sus bases gritaban «papeles para todos» (o poco menos) y elaboraron una ley que, en la práctica equiparaba la situación de los inmigrantes ilegales a la de los legales. Y, para colmo, esta ley se anticipó solamente unos días a los incidentes de El Ejido. La ley se había elaborado por consenso de todos los partidos políticos, salvo el PP. Cuando, en las elecciones de marzo, éste obtuvo la mayoría absoluta redactó un nuevo proyecto de ley con dos objetivos: adecuar la legislación española de inmigración a la normativa europea y detener el «efecto llamada» generado por el período extraordinario de regularización. Aznar, completó esta medida con la creación de una Delegación del Gobierno para la Extranjería y la Inmigración, al frente de la cual situó a uno de sus hombres de confianza, Enrique Fernández-Miranda. Este presentó un informe al Consejo de Ministros en el mes de junio de 2000, que serviría de base para el proyecto de modificación de la ley anterior.

A pesar de discutirse el nuevo proyecto de ley con todos los grupos parlamentarios, no pudo existir el consenso. IU-IC, BNG, IC, UGT y CCOO, rechazaron la reforma; CiU, ERC, CC, CHA y el PA se mostraron dispuestos a asumir cambios desde el diálogo.

El PSOE en aquella época era el líder de la promoción y defensa de los derechos de los inmigrantes. El 27 de junio de 2000, el PSOE presentó en el Congreso una proposición no de ley que planteaba esperar un año, para conocer los efectos de la ley 4/2000 antes de proceder a su reforma... Algo absurdo por que resultaba evidente en ese momento que el «efecto llamada» ya se había desatado. La mayoría absoluta del PP bastó para que la proposición fuera rechazada. Con todo, la propuesta logró 117 votos del PSOE, IU, PNV, y grupo mixto. En esta ocasión CiU y Coalición Canaria se abstuvieron. Claro que rectificar es de sabios, por que el 1 de julio de 2000 el número de inmigrantes interceptados en los seis primeros meses del año suponía un incremento del 460% con respecto al anterior. Pocos días después, Jordi Pujol reconocía que el «efecto llamada» era una consecuencia de la legislación aprobada y se decantó por su reforma urgente.

En julio de 2000 se aprobó el anteproyecto de reforma, ratificado el 4 de agosto. Tras el retorno de las vacaciones parlamentarias, en octubre, comenzó el debate en el Congreso, con carácter de urgencia. Las enmiendas a la totalidad presentadas por IU, PNV y el Grupo Mixto, fueron rechazados; fueron aceptadas cerca de una cincuentena parciales procedentes de casi todos los grupos e incorporadas al texto. La ley vigente fue, finalmente aprobada a finales de noviembre de ese año. En el Senado el proyecto fue rechazado por el PSOE al negarse el PP incorporar en el texto una referencia al derecho de reunión, asociación, sindicación, huelga y manifestación, de los inmigrantes ilegales. Finalmente, la ley fue aprobada el 14 de diciembre con los votos del PP, Coalición Canaria y CiU. El 23 de enero de 2001 entraría en vigor.

La nueva Ley de Extranjería difería en algunos puntos de la anterior. En el área de sanidad limitaba la atención médica de los inmigrantes ilegales a las urgencias. De la educación no se aludía a la pre-escolar ni al bachillerato y se garantizaba, por el contrario, la enseñanza gratuita para hijos de inmigrantes ilegales a la primaria. Seguía manteniéndose la posibilidad de que los inmigrantes pudieran pedir el amparo de los tribunales, incluso los rechazados en la frontera. La única limitación estribaba en que solamente los inmigrantes legales podrían recurrir a la asistencia jurídica gratuita en los litigios que pudieran tener. La nueva ley excluía del principio de publicidad, audiencia del interesado y motivación de las resoluciones, a los visados, cuya denegación sólo habrá que motivar cuando la petición apele a la reagrupación familiar o al trabajo por cuenta ajena. Se incorporaron también algunas modificaciones sobre el proceso de expulsión. El mero hecho de estar en España en situación irregular, hace acreedor de la medida de expulsión. Si un inmigrante es expulsado por orden judicial o administrativa o se le deniega a seguir en España, deberá salir del país obligatoriamente. Las expulsiones preferentes son inmediatas. Las normales establecen que se debe abandonar el país en el plazo fijado, que nunca será menor a 72 horas. También se limitaba el derecho sindicación, huelga, asociación y reunión de los inmigrantes ilegales. Para que pudiera acogerse a la reagrupación familiar era necesario que el inmigrante hubiera cumplido un año de residencia legal en España. También se establecía responsabilidad penal para los que transportaran a inmigrantes y les ayudaran a ingresar ilegalmente en España.

Tal es el marco legal vigente en la actualidad en España y la trayectoria hasta llegar a él, al margen de la reforma del 11 de septiembre del 2003 que se ha realizado tras escribir estas páginas y que hemos comentado en la Introducción.

V
Los mitos sobre la inmigración

Suelen repetirse con demasiada facilidad ideas que, a fuerza de repetirse, se han convertido en tópicos y dogmas inapelables. En realidad se trata de ideas, cuanto menos, muy discutibles. Vamos a ver en este capítulo algunos de los mitos más frecuentemente repetidos para comprobar hasta qué punto se trata de tópicos carentes de fundamento.

El mito de las ventajas económicas

Los inmigrantes son seres humanos, no se les puede reducir a una única dimensión de productores. Los inmigrantes son seres humanos, tienen necesidades y su único destino no es contribuir a la economía del país al que han ido a parar. Los inmigrantes son seres humanos y no conejos reproductores que contribuirán a paliar nuestro déficit demográfico y a asegurar las pensiones de los que seremos abuelos dentro de 25 años. Quienes facilitan, canalizan y orientan las riadas migratorias teniendo ante la vista los beneficios económicos que puedan reportar, no consideran a los inmigrantes en su dimensión humana, no tienen en cuenta el gigantesco drama que consiste en dejar atrás sus raíces, embarcarse en una aventura dura, difícil y, en ocasiones, peligrosa.

Pero es que, además, como ya hemos dejado intuir, no es del todo evidente que la inmigración masiva reporte beneficios a la economía nacional.

Ciertamente, el progresivo envejecimiento de la población en España amenaza con provocar en 25 años un colapso económico y, mucho antes, la quiebra del sistema de pensiones de la seguridad social. En la actualidad el 11% del PIB se destina al pago de pensiones. El aumento de la esperanza de vida hará que en menos de tres décadas esta asignación se haya elevado al 30%. El gobierno del PP ha adoptado como garantía para el pago de pensiones dejar entreabiertas las puertas de las fronteras para que se filtren legiones de inmigrantes. Había, evidente otras medidas, mucho más seguras y menos traumáticas para asegurar estas pensiones y ya hemos aludido a ellas.

El informe de NNUU sobre la demografía europea, emitido en 2000 fue tomado por el gobierno español como justificación para esta actitud. En efecto, dicho informe presentaba como inevitable la inyección de un flujo inmigratorio masivo en la Unión Europea para que pudiera «sobrevivir económica y socialmente». Utilizando algunas proyecciones demográficas, las NNUU preveían que en el siglo XXI el 95% del crecimiento demográfico mundial tendría lugar en el Tercer Mundo. Las cifras publicadas por el U.S. Bureau of the Census son las siguientes (en millones de personas):

Año	1950	1998	2050
África	221	749	1766
Asia	1402	3585	5268
Sudamérica	167	504	809
Europa	547	729	628
Norteamérica	172	305	592

No parece evidente que esas cifras vayan a cumplirse. Resulta difícil pensar que África (especialmente el África Subsahariana) vaya a tener un desarrollo demográfico tan espectacular, habida cuenta de las epidemias, la insalubridad, las guerras civiles, las hambrunas y el desgobierno, que están mermando a la población africana en estos momentos. Otras proyecciones parecen igualmente exageradas (en Asia) o excesivamente lineales (Norteamérica). En cualquier caso, utilizando estas cifras, en absoluto seguras, las NNUU recomendaban la admisión de ¡159 millones de inmigrantes! en el territorio europeo si quería garantizar el mantenimiento de su producción y de su bienestar. Por increíble que pueda parecer, la Comisión Europea, poco después, manifestó su acuerdo con el informe de NNUU y es, a partir de entonces, que países como España dejan entreabierta la puerta de entrada para permitir el acceso, no solamente a quienes cumplen la legislación de extranjería, sino a una ingente masa de ilegales. Por que la puerta, no está ni completamente abierta, ni completamente cerrada, pero permite, en cualquier caso la entrada de todo aquel que se propone entrar y, si lo consideramos en todo su dramatismo, obrar así supone una tremenda crueldad.

La llegada de inmigrantes en pateras hace que sólo puedan alcanzar nuestras costas y sobrevivir los primeros días, aquellos inmigrantes mejor dotados, los más fuertes, los más decididos, los más jóvenes; así se induce una selección natural adaptada para que lleguen los más fuertes y fracasen (o perezcan) los débiles... como de hecho así ocurre. Esta cruel e innoble «selección natural» podría evitarse perfectamente presionando a Marruecos, país cuya policía es capaz de identificar al último disidente político, pero no de cortar el flujo de inmigración ilegal, ni localizar una sola de las plantaciones de haschís. Pero no se hace por que, en el fondo, esto significaría (unido a otras medidas como los visados obligatorios para todos los inmigrantes extracomunitarios, la vigilancia de las fronteras interiores de la UE, la congelación de los acuerdos de Schenguen, la vigilancia electrónica sobre el Estrecho y el Mar de Alborán, etc.) cerrar las puertas y éstas deben permanecer entreabiertas para mayor gloria de los sumos sacerdotes de la globalización. Esta perversa voluntad se manifiesta en la desidia del propio gobierno en cumplir su propia legislación sobre inmigración. En efecto, el inmigrante que ha llegado a nuestro territorio, a poco que no se identifique reiteradamente con el ambiente de la delincuencia, aunque esté en situación ilegal, no corre ningún riesgo de ser repatriado y la solución a su situación que, según la Ley de Extranjería, debería resolverse en el Consulado Español más próximo al lugar de residencia de cada inmigrante, de hecho se resuelve en las Oficinas de Extranjería de los gobiernos civiles.

Es evidente que el gobierno español, si no ha favorecido la llegada de miles de inmigrantes ecuatorianos y norteafricanos, en su mayoría ilegales, si al menos ha permitido su establecimiento con toda tranquilidad. Estos dos colectivos, mayoritarios entre la inmigración, son precisamente los que mejor se habrían podido controlar: los primeros por que sólo entran por Barajas, los segundos por que sólo entran por el Estrecho... Y se ha permitido durante cuatro años que este flujo prosiguiera sin alteraciones: ninguna en el caso de los ecuatorianos hasta que la Unión Europea exigió la petición de visados para entrar... medida cuya aplicación Aznar retrasó seis meses hasta enero de 2004, generando un nuevo «efecto última oportunidad» consistente en acelerar la llegada masiva de inmigrantes de ese país ante el próximo seguro endurecimiento de las medidas de entrada en España. Un efecto que durará seis meses... En otra parte de este libro recordamos que las maniobras europeas destinadas a cortar el tráfico de pateras –la operación «Ulises»– tuvieron lugar en las proximidades de Baleares, cuando todo el mundo sabía que por allí no había rastros del tráfico de pateras.

La inyección de mano de obra inmigrante se presenta como la única vía para que Europa pueda mantener el nivel de cotización necesario para la supervivencia del sistema de pensiones. Cuando un inmigrante llega a España, la última intención con la que viene es mantener las pensiones de los españoles que dentro de diez años se jubilarán. Vienen a trabajar por su bienestar, no para el de otros. Es así de simple y de natural. Por que, incluso en el terreno de la Seguridad Social vienen de países en los de no existen sistemas de protección social tan amplios como el español, pero una vez han conocido el nuestro, quieren –puesto que trabajan y viven entre nosotros– beneficiarse de él. Y es lógico y justo que así sea. Solamente la mente perversa que ideó el plan «inmigrantes para pagar pensiones» pudo creer que una mano de obra extranjera sería contratada para pagar las jubilaciones europeas, sin exigir ningún derecho a cambio. Por que, a fin de cuentas, como ya hemos apuntado, estos inmigrantes también generan gastos propios en el sistema sanitario, pensiones no contributivas y, en el futuro, sus propias pensiones de jubilación. No lo hacen, desde luego, para que los europeos podamos anticipar la edad de jubilación y percibir nuestras pensiones.

Desde hace tres años –desde 2000, cuando la inmigración empezó a sentirse como un fenómeno de masas– es evidente que gran parte del volumen de ingresos generado por los inmigrantes en las arcas del Estado va a parar a sufragar los gastos generados por esos mismos inmigrantes legales y por los inmigrantes ilegales que no realizan ningún tipo de contribución al Estado, pero que se benefician de ciertas coberturas sociales de ese mismo Estado (tarjeta sanitaria, ayudas sociales, becas, enseñanza gratuita, etc.), sin olvidar que una pequeña minoría en relación al total de la inmigración genera buena parte de los delitos cometidos en España lo que implica un gasto en justicia, policía, prisiones, y en las infraestructuras que acompañan a todos estos servicios. Ya en junio de 2001 el Director General de la Policía, Juan Cotino, «los extranjeros cometen al menos la mitad de los delitos en España», cuando en aquel momento la población inmigrante apenas superaba el 3%, evidenciando una predisposición a delinquir diecisiete veces mayor que la de la población española.

Resulta dramático constatar la inexistencia de exámenes médicos como requisito para permanecer en España (y en la

Unión Europea) y que algunos los consideran una «medida discriminatoria». Así no es de extrañar que enfermedades extinguidas en Europa Occidental se estén reintroduciendo de nuevo. Repetidamente la Guardia Civil y los funcionarios de Instituciones Penitenciarias han denunciado este hecho que los responsables sanitarios y de Interior han intentado silenciar seguramente para no alarmar a la opinión pública. En Lanzarote, isla donde la inmigración es masiva, diversos Guardias Civiles fueron diagnosticados de tuberculosis contagiosa en junio de 2003 y otros cinco estaban en tratamiento en hospitales de la isla. También se han dado casos de familiares de Guardias Civiles que han dado positivo en la prueba para detectar la enfermedad. Tanto los funcionarios de prisiones como los miembros de la Guardia Civil han denunciado repetidamente la falta de controles sanitarios sobre la inmigración. Al Ministerio del Interior y al de Sanidad sólo les ha preocupado una cosa: que no existan cifras sobre el alcance real de la reintroducción en nuestro país de estas enfermedades hasta hace poco erradicadas (lo dice alguien cuyo socio y amigo falleció años después de haber contraído un virus tropical que le afectó al riñón; jamás había visitado país tropical alguno, pero si residido en la misma habitación de un hotel en el que previamente habían residido inmigrantes subsaharianos).

Además la salida de euros de España hacia los lugares de origen de la inmigración genera consecuencias negativas para la economía española, ya que supone una constante salida de dinero del flujo circular de la renta y por tanto una ralentización en el crecimiento de la economía nacional.

La venta ambulante, los top manta, los talleres clandestinos de falsificación de ropa y objetos de marca, han reavivado la economía sumergida que pareció extinguirse hacia mediados de los años 90. El Estado no recauda impuestos por estas actividades, pero ve como el pequeño comercio –que sí paga impuestos y está sujeto a controles de calidad– se ve dramáticamente afectado por esta competencia desleal (que, por lo demás, los efectivos policiales podrían desmantelar totalmente de un día para otro si Interior tuviera voluntad política de hacerlo).

En el capítulo de destrozos económicos habría también que recordar una de las más geniales ideas que se le ocurrió a ministro alguno: la de pagar el viaje de retorno a los inmigrantes ecuatorianos para que, cumpliendo la Ley de Extranjería, realizaran allí las gestiones en la delegación consular española para luego poder regresar aquí con la documentación en regla. Afortunadamente tal disparate no cuajó y apenas retornaron a Ecuador unos 4.000 súbditos de aquel país. Esto ocurría en 2000. Desde entonces cientos de miles de ecuatorianos han seguido el camino inverso utilizando visados turísticos. El problema, detectado ya en 2000 podría haberse solucionado entonces con las medidas que en enero de 2004 el gobierno intentará aplicar. No se quiso solucionar y el Ministro (preferimos no recordar su nombre) que tuvo la brillante idea de hacer cumplir la Ley de Extranjería pagando el billete de regreso, desapareció sin dejar huellas.

Hay una pregunta importante que merece ser formulada: si no hubiera llegado una inmigración masiva ¿realmente piensa alguien que la construcción, el campo y la hostelería se hubieran colapsado? ¿alguien piensa que el reparto del butano o la limpieza de los barrios se hubiera detenido? No lo creemos. Faltan estudios serios que estudien el impacto global en nuestra economía de la ausencia de inmigrantes. Anticipamos uno de los posibles resultados: la economía se habría autoregulado y racionalizado, las bolsas de trabajadores autóctonos en paro se habrían reducido, el precio de los salarios habría aumentado, la construcción no se habría convertido en el refugio del dinero negro, los precios de la vivienda no se habrían disparado, ¿la inflación? Es posible que hubiera sido algo superior, pero difícilmente se habría desbocado.

La reconstrucción de Alemania tras la Segunda Guerra Mundial es un proceso significativo e ilustrativo. La generación de la guerra resultó mermada por el conflicto. La población civil, sometida a constantes bombardeos de terror durante tres años, sufrió tantas bajas como los soldados del frente. Alemania en mayo de 1945, cuando se rindió, era una país en el que apenas quedaba piedra sobre piedra y, desde luego, ninguna en las grandes ciudades y los centros industriales había resistido tres años de bombardeos inmisericordes. La joven generación se había desangrado en los frentes. Pues bien, Alemania se reconstruyó a sí misma contando como trampolín el Plan Marshall (ayuda económica) y, solo a partir de los años 50, una pequeña aportación de inmigrantes procedentes de la Europa del Sur. A principios de los años 60, Alemania ya estaba, no sólo completamente reconstruida, sino que se había convertido en un gigante industrial. La inmigración no es absolutamente necesaria ni siquiera para abordar una reconstrucción partiendo casi de cero.

Es innegable que la llegada masiva de inmigrantes ha repercutido negativamente en los trabajadores españoles y en la calidad de muchos servicios. No hay que olvidar que buena parte de los inmigrantes que llegan carecen por completo de formación profesional o es muy limitada. Su competitividad en el mercado laboral deriva de su dureza, de sus ganas de trabajar y de la anteposición de todo esto a sus reivindicaciones y derechos laborales. Pero en sectores enteros de la inmigración falta capacitación profesional, esto redunda en un descenso de la productividad y de la calidad de los servicios y, en cierta medida, tiende a equilibrar las ventajas que el empresario obtiene en ahorro salarial. El resultado, es globalmente favorable para el empresario.

Para quien no es desde luego favorable es para la fuerza de trabajo española. Un alumno de cualquier escuela de hostelería estará mejor preparado que la mayoría de inmigrantes para aspirar a un puesto de trabajo en cualquiera de los bares y restaurantes del barcelonés Paseo de Gracia, por ejemplo. Sin embargo, difícilmente encontraríamos trabajadores españoles en estos locales. La mayoría de las empresas que operan en esa zona prefieren contratar mano de obra más barata, aunque el servicio no esté cubierto por jóvenes que han dedicado tres años a aprender el oficio.

La falta de preparación profesional y la débil integración o su desinterés por integrarse, son las características de grupos enteros de inmigrantes, procedentes especialmente del Magreb y en menor medida de la América andina. Sin embargo, resulta evidente que el gobierno ha permitido que entraran masivamente en España y hasta el 11 de septiembre de 2003 apenas ha adoptado medidas eficaces para limitar su llegada (y todavía es muy pronto para ver el resultado de esas medidas que, en nuestra opinión, será escaso). Ahora bien, si tenemos en cuenta que desde hace cinco años se sabía que los países del Este –en especial Polonia y Lituania– se iban a integrar en la Unión Europea, es evidente que era esa inmigración y no otra, la que había que canalizar hacia Europa Occidental.

Por lo demás, la inmigración procedente del Este está profesionalmente mejor preparada que las procedentes de África y la América Andina. Además, con la inmigración procedente de estos países no existe posibilidad de choque cultural. Los polacos, habitualmente católicos, participan en primera fila en los oficios dominicales junto a españoles. No piden iglesias ni mezquitas propias, sus hijos no se distinguen de los autóctonos por signos exteriores; comparten en buena medida nuestros hábitos alimentarios. Y, finalmente, han sido siempre ciudadanos europeos con un buen nivel cultural y, por si esto fuera poco, en enero de 2004, polacos y lituanos van a ser socios de pleno derecho de la U.E. ¿Por qué, pues, no se ha priorizado este tipo de inmigración intraeuropea? La respuesta es simple: por su gran capacidad de integración, su nivel cultural, su preparación profesional, corre el riesgo de que en pocos años reivindicaran los mismos derechos que los trabajadores españoles... con lo cual las dotaciones salariales volverían a elevarse.

Nadie, absolutamente nadie, puede negar que existe una relación directa entre la inmigración masiva y el paro de los trabajadores autóctonos. En España, a pesar de que el paro afecta a buena parte de las comunidades inmigrantes, su llegada masiva ha coincidido con momentos de bonanza económica. Pero esta no se prolongará indefinidamente. Las economías sufren crisis cíclicas. ¿Qué ocurrirá cuando aparezcan? En este, como en otros casos, vale la pena ver lo que ha ocurrido en el extranjero.

Alemania admitió desde los años 50 cientos de miles de inmigrantes turcos. Durante la recesión de principios de los 80, el problema que se planteó era cómo sacarlos del país; se les llegó a ofrecer dinero a quienes aceptaran ser repatriados. Sólo unos pocos aceptaron (como sólo unos pocos ecuatorianos aceptaron regresar a su país con el billete de vuelta pagado) y el «efecto llamada» prosiguió. Hoy se encuentran en Alemania tres millones de turcos y siguen aumentando a un ritmo de doscientos mil por año. Esta inmigración está compuesta por musulmanes que ni comen salchichas, ni beben cerveza, alimentos condenados por su religión, lo cual, en la práctica crea una barrera entre ellos y la sociedad alemana. En la actualidad, cuando Alemania ha entrado en una recesión técnica, se está evidenciando una vez más que la sociedad no está en condiciones de absorber ni integrar a toda esta mano de obra alógena. ¿La solución? No se cansen buscándola: no existe la solución políticamente correcta, las únicas soluciones implican repatriaciones masivas de inmigrantes en paro, cese de la reagrupación familiar, doble pena –cumplimiento de la condena y expulsión– para los que delincan y cierre de fronteras ante la masiva incorporación de nuevos inmigrantes que siguen llegando a pesar de que a partir de julio de 2003, el país haya entrado en recesión técnica. Alemania está pagando ahora la adicción de su patronal a una droga dura: por que habituarse a contratar inmigrantes por sus bajos niveles salariales es una droga que, efectivamente, crea hábito.

Hay otro fenómeno a considerar: la automatización creciente de muchos procesos de producción. En el campo, por ejemplo, hay zonas en las que máquinas recolectoras provistas de sensores han sustituido a los trabajadores. Estos, reducidos a una décima parte de los que hacían falta antes de la automatización, tiene sólo como función revisar la tarea de las máquinas y recoger los racimos de uva que estos no han detectado. Progresivamente, este tipo de técnicas mecánicas irán reemplazando a las manuales. Otro tanto ocurre en la construcción en donde la racionalización de los procedimientos constructivos y la utilización creciente de módulos prefabricados operará un descenso en el número de trabajadores necesarios. La tendencia de la producción desde la irrupción de las tecnologías informáticas y del impulso que estas dieron a la automatización de los procesos, es a una reducción en el personal necesario para realizar el mismo trabajo manual. Es más, la automatización de los procesos y la renovación tecnológica –que no tienen nada que ver con el fenómeno de la inmigración– son signos de salud para una economía.

Sea por las crisis económicas cíclicas, sea por la automatización de los procesos productivos, da la sensación de que están entrando más inmigrantes de los que van a ser necesarios y que nadie hace nada, nada verdaderamente efectivo, para detener el flujo. Todo lo cual está influyendo negativamente en la masa de los trabajadores españoles (que no ven disminuir sustancialmente su tasa de paro; no hay que olvidar que España es el país con una mayor tasa de paro de toda la Unión Europa y, al mismo tiempo, el que tiene hoy una mayor tasa de inmigración...) y afectando al conjunto de la sociedad española en manera y forma que describimos a lo largo de esta obra.

El cinismo de algunos proinmigracionista es lacerante. Sostienen que es mejor que los inmigrantes sean explotados dramáticamente en España, que permanecer en su país de origen donde todavía sufrirían peores condiciones. El razonamiento, asumido por un sector de la patronal, no es que sea falso, es que es cruel. Un joven marroquí al que entrevistamos nos comentó textualmente que él estaba «mejor en la cárcel en España que en la calle en Marruecos». Y sabía de lo que hablaba por que lo entrevistamos en la cárcel. La patronal lava su conciencia entregando un salario de miseria, al considerar que acepta mano de obra extranjera por razones «humanitarias» dado que en el país de origen vivirían en peores condiciones...

Resulta escalofriante constatar que esta especulación cínica sobre la miseria no sea nueva. Los teóricos del capitalismo en el siglo XIX desarrollaron la teoría de que la miseria de algunos grupos sociales era necesaria para el desarrollo del capitalismo y del progreso en Inglaterra. Este razonamiento pervertido, degenerado y cruel tardó poco en desencadenar una lucha de clases de la que surgió el marxismo y las grandes convulsiones sociales del siglo XX. Hoy otros capitalistas han desarrollado la doctrina no menos degenerada, según la cual la explotación de los inmigrantes es necesaria para el mantenimiento de su nivel de negocio y beneficio. Una perversión absoluta como ésta no dejará de generar alteraciones y traumas sociales: en este mundo ningún crimen queda impune. La víctima, antes o después, toma la revancha.

Los mitos demográficos

La natalidad española está por los suelos. O quizás estaba, por que en 2001 alcanzó los niveles más altos desde 1993... ¿Qué había ocurrido? La tasa demográfica de la inmigración había compensando el déficit. Pero no nos engañemos: la tasa de natalidad que corresponde específicamente a los españoles está a mínimos históricos y encabeza con Italia la cola de la demografía mundial. Eso vienen a compensarlo extranjeros. Habría que agradecerlo, nos dicen una y otra vez, por que así se podrán soportar los compromisos asistenciales del Estado... Pero la cosa no es tan sencilla y, por otra parte no hay que olvidar los problemas que todo esto va a implicar.

A partir de 1999 se produjo un leve aumento de la población española. Con 403.859 nacimientos, la fertilidad se situó en 1,24 hijos por mujer, frente a los 1,19 de 1999. Ya en el 2001 se había dado un aumento de 1,23 hijos con 8.103 nacimientos más que el año anterior. Globalmente, la «tasa bruta de natalidad» pasó de 9,91 en 2000 y a 10,3 en 2001. Pero este incremento era ficticio: claro que había incremento de la natalidad, pero a partir de 1999 se debía a las madres extranjeras.

El número de matrimonios parece ligado directamente a la natalidad: contra más matrimonios, más natalidad. Pero la natalidad va ligada, no solamente a la pareja, sino a la perspectiva de vida en común que se forjan ambos cónyuges. La fórmula religiosa que sella el matrimonio —«hasta que la muerte nos separe»— es buena muestra de lo que decimos. Cuando una pareja se forja perspectivas de vivir en común durante décadas, en su horizonte mental figura casi necesariamente la posibilidad de tener hijos. Por el contrario, cuando una pareja se constituye sin ningún compromiso contractual —civil o religioso— sustituyendo la fórmula religiosa «hasta que la muerte etc...» por «mientras la convivencia sea agradable», lo que se asume es un cierto grado de provisionalidad. En esas condiciones tener hijos resulta una aventura arriesgada. Si a esto unimos el fenómeno del precio de los alquileres y de las viviendas, unido a los bajos niveles salariales, se tendrá como resultado a parejas jóvenes que apenas pueden vivir en estudios de pocos metros cuadrados y, por tanto, inhábiles para albergar hijos. Si, además, añadimos, la atenuación del instinto de la maternidad en la mujer y el abandono del hábito de la paternidad en el varón, a causa de fenómenos tan diversos como el consumismo, las posibilidades de ocio, cierta inmadurez, individualismo y egoísmo en dosis variables, se tendrá una situación en la que los jóvenes, mientras son jóvenes no tienen interés en tener hijos. Para colmo, los bajos salarios y la integración de la mujer en el mercado del trabajo operan a modo de pinza: si ambos elementos de la pareja tienen que trabajar para poder mantener un nivel mínimo —y recalcamos lo de mínimo— de ingresos, entonces ¿quién cuidará de los hijos? ¿quién los educará? Y por lo demás, si la vivienda se lleva el 48% de los ingresos familiares ¿qué pareja joven puede asumir los gastos que implica la paternidad? Por lo demás, el hábito antropológico implica que «pareja nueva – vivienda nueva»; los hijos viven con los padres hasta que tienen la posibilidad –y la voluntad– de vivir en común con su pareja. Es entonces cuando se emancipan. Pero –a diferencia de la generación anterior– la emancipación no implicaba necesariamente la paternidad.

Es evidente que los partidos que han gobernado en España en las últimas décadas son responsables de esta situación generada por una absoluta falta de planificación y por haber dado rienda suelta a especuladores, promotores inmobiliarios, constructores, que han generado una espiral sin límite en el precio de la vivienda. Además, estos mismos partidos han abierto nuestro país hacia la cultura americana hecha de egoísmo, individualismo, y superficialidad, han permitido que el mundo de la cultura se llenase de productos que llegaban directamente de la infra-cultura americana, generando una alteración en la escala de valores: somos europeos que vivimos con valores americanos, es decir, no somos europeos en toda su integridad. La cultura europea ha sido machacada por la infra-cultura americana la cual, originariamente, había surgido de los residuos –frecuentemente disidencias religiosos– que Europa había generado en el siglo XVII y XVIII. Esta invasión cultural ha sido bendecida por partidos que veían en ella un elemento desmovilizador de la sociedad civil, una castración del espíritu crítico y por quienes asumían esa cultura a falta de tener otra digna de tal nombre.

En estas condiciones no es raro que se haya producido una alteración de todos los valores y que tal alteración haya repercutido en la concepción de la pareja y en la caída de la natalidad a mínimos históricos en Europa. Todas las medidas que en los últimos años han establecido los poderes públicos pare estimular la natalidad y ayudar a las familias numerosas puedan calificarse con una sola nota: son 0, merecen un 0 y han aportado un 0 al incremento de las tasas de natalidad. Así de simple. Ejemplo: la tarjeta de familia numerosa pomposamente emitida por la Generalidad de Catalunya no supone absolutamente ningún beneficio real para las familias... esto no es óbice para que la propia Conselleria de Benestar Social publique cada año un grueso volumen destinado a alabar la política autonómica de apoyo a las familias numerosas. El coste del libro, de su envío a todas las familias y la legión de funcionarios de la conselleria suponen unos costes mucho mayores, sin duda, que los beneficios que deparan a las familias numerosas catalanas que, insistimos, es 0.

En el 2001 se formalizaron 3.806 matrimonios por la Iglesia menos que el año anterior. Este dato y el de la natalidad implican que hoy pueda decirse con propiedad aquello que Manuel Azaña dijo hace casi setenta años: «España ha dejado de ser católica». Lo que ocurre es que ha dejado de serlo hace poco y no en 1933. En efecto, el cambio en las concepciones de los españoles ha sido brutal desde 1976 y no está claro que este cambio haya siendo siempre positivo. Ese año, España ocupaba el segundo lugar en fecundidad en Europa. La católica España se veía sólo adelantada en este terreno por la no menos católica Irlanda. En 1981, ya habíamos pasado al cuarto lugar, claro que por delante estaban la inefable católica Irlanda, la no menos católica y vecina nación portuguesa y Grecia. Cinco años después, la natalidad ya había caído por debajo de la media comunitaria. En 1996 estábamos en el último lugar. Toda esta evolución en ¡apenas veinte años! De los primeros del ranking a los últimos. Claro que en ese período se había producido el marasmo de la transición (con años en los que la inflación había alcanzado el 35%), la ley Boyer (que liberalizaba los alquileres), los años del pelotazo (que consolidaron la especulación inmobiliaria como forma de multiplicar los caudales sin riesgo), los contratos en precario (para remediar, por cierto, los años del paro), la telebasura (creada como mecanismo de compensación y neutralización de las masas), y así sucesivamente. Por que la caída de la natalidad –verdadero crimen contra la nación– tiene responsables: la clase política sin excepción –incluidos los ministros del Opus que llegaron con sus familias numerosas en el cartel electoral del PP, pero que una vez en el poder no movieron un dedo para aprobar una legislación que favoreciera la natalidad– son responsables de este destrozo demográfico que, en rigor puede calificarse de etnocidio.

Pero el etnocidio no estaba completo si no se le añadían otros fenómenos. La inmigración, por ejemplo. ¿Cómo? ¿Qué la natalidad había bajado entre españoles? No hay problema, se importan los inmigrantes que hagan falta y se compensa el déficit. Poco importa que las comunidades inmigrantes tengan una tasa de natalidad extremadamente superior a la de los españoles, poco importa que la mayoría vivan en condiciones de hacinamiento y poco importa que en lugar de venir los requeridos, se produjera un verdadero alud que haya cambiado el paisaje de barrios y ciudades enteras en apenas tres años. Lo importante para el partido en el poder era que subían las cotizaciones en la seguridad social… y lo más importante para los grupos económicos de los que es albacea, es que el precio de la mano de obra bajaba se estancaba. Por que, contrariamente a lo que insinúa el PP, el problema generado por la inmigración no es solamente de inseguridad ciudadana –ese es un problema añadido–: el problema es que corremos el riesgo de que en una sola generación se produzca un vuelco demográfico en Europa.

Hacia 2010-12 el Islam será la religión más seguida en Francia e Inglaterra. Hacia el 2050, Francia no será una nación mestiza, será una nación en donde las etnias no europeas casi serán mayoría. Es inútil pensar que todo esto no dejará de tener consecuencias de todo tipo. En España la perspectiva que se abre es similar: en tres años han entrado en España tantos inmigrantes como en los últimos quince años en Francia. Así que, también en este terreno, hemos pasado de un extremo a otro. Unas alteraciones sociológicas tan bruscas e inesperadas no pueden dejar de tener unas consecuencias. Ya en el año 2000 España tuvo, junto a a Italia (1,25), Grecia (1,30) y Portugal (1,48) la tasa más baja de natalidad de Europa. En 2002 se produjo un incremento de natalicios en España –debido a las altas tasas de inmigración, no a la natalidad entre españoles de origen– lo que no impidió que nuestro país junto con Alemania, Italia y Austria se situaran en la franja de países europeos con menos natalidad, en el furgón de cola de la UE. Cuarenta años nos separaban de aquellos grises años 50 de la salida del subdesarrollo en los que el incremento de natalidad neto llegó a 550.000 personas en 1950 y a 654.474 en 1959. La tendencia aumentó en los 60, alcanzando en 1964 el límite máximo con 697.697. La caída se inició en la década siguiente y se hizo alarmante en 1980: pero, nuestros políticos ese año estaban solo interesados por consolidar la democracia, así pues ¿para qué preocuparse de esa minucia de la natalidad que ni daba votos ni la gente lo consideraba como un riesgo? Entonces no se pensaba en quien pagaría la factura de las pensiones...

Ya en los años noventa, los nacimientos y las defunciones quedaban equiparados. Sin embargo, y pese a que en los últimos años la natalidad se incrementa debido a los nacimientos de madres extranjeras, los pronósticos para España no son buenos. Según las conclusiones del informe de la División de Población de Naciones Unidas publicado en febrero de 2001, España será, dentro de medio siglo, el país más viejo del mundo con una edad media de 55 años. Estas cifras, de todas formas, no son seguras. Igualmente inseguras son las afirmaciones de que la población española pasará de los actuales 40 millones a tan sólo 31,2, es decir, el descenso de la población será del 21,8%. Estas cifras no tienen en cuenta la tasa de reproducción de la población inmigrante, ni el hecho deseable de que alteraciones en los partidos de poder pudieran dar entrada a formaciones nuevas que garantizasen ayuda y protección a las familias numerosas, estimularan a la natalidad y realizaran campañas favoreciendo la procreación.

Porque las fórmulas para remontar el descenso demográfico son estas: ayudas, campañas, protección a la paternidad. Y, por qué no, plantear limites al derecho al aborto. Por que de lo que se trata es de estimular la procreación, no de limitarla.

¿Pueden compensar los flujos migratorios el descenso de la natalidad? Pueden compensarlo numéricamente, pero las alteraciones sociológicas, culturales, antropológicas, políticas y religiosas que medidas así pueden tener son difíciles de establecer.

Un país es tanto más homogéneo y gobernable cuanto más homogénea es su población. A menos, claro está, caso de EEUU que el país sea dirigido por una élite WASP (blanca, anglosajona y protestante) que imponga esa uniformización a costa de ghettos, aparato policial y judicial extremadamente poderoso y un brutal poder coercitivo. En otro lugar denunciaremos los mitos del mestizaje y la multiculturalidad. En el fondo de lo que se trata es de elegir entre el derecho de sangre o el derecho de tierra: por el primero la nacionalidad se concede a quienes son hijos de nacionales; el segundo concede la nacionalidad por un decreto meramente administrativo a quien cumpla el requisito accidental de haber nacido sobre un territorio.

Desde la caída del nazismo el derecho de sangre goza de mala reputación. Pero no debería ser así, es anterior al nazismo y le ha sobrevivido en muchas legislaciones democráticas. Antes que el nazismo todos los regímenes políticos han sostenido que solamente eran «hijos de la nación» quienes habían nacido de padres de esa nación. A nuestro juicio así debería seguir siendo, so pena de crear un caos antropológico, cultural y etnológico de consecuencias imprevisibles. Por que si se prevé un descenso de la población, como ya hemos dicho, no es necesariamente preciso que se contribuya al desarraigo de millones de inmigrantes transplantados de sus países de origen a Occidente, sino que basta con mejorar las expectativas de las familias españolas mediante una legislación adecuada y a través de campañas de natalidad que, en el período socialista fueron estigmatizadas como «franquistas y pacatas». Es, así mismo, en ese período cuando se dinamitó la legislación de familias numerosas herencia del franquismo. El PP, por su parte, no ha hecho gran cosa en esa dirección. A decir verdad, no ha hecho nada apreciable y, por lo demás, los partidos nacionalistas catalanes y vascos, han estado más interesados en que los nuevos inmigrantes hablaran los respectivos idiomas que en estimular campañas de natalidad para evitar, como ocurrió en el año 2000 que en Cataluña, nacionalidad formada en torno a la moreneta de Montserrat, nacieran más Mohameds que Jordis.

El hecho es que, no sólo la población europea, sino toda la población mundial va envejeciendo. En el año 2000 sobre 6.100 millones de «terrícolas», 690 eran mayores de 80 años, es decir, el 11%. Pues bien, los demógrafos de las NNUU prevén que en los próximos 50 años, esta cantidad se multiplicará por 15 gracias a la mejora en el nivel de vida de las poblaciones. Como todos los estudios demográficos de NNUU, no es seguro que esto ocurra, pero si tuviera lugar a mediados del siglo XXI se confirmaría que la humanidad envejece aceleradamente. Se calcula que si hoy existen en todo el mundo 120.000 personas centenarias, en el 2050 serán 2.000.000. El informe de las NNUU continúa explicando que ante este aumento de la edad media, los países industrializados se verán obligados a abrir sus fronteras a grupos étnicamente alógenos de mayor juventud.

Tal es la línea de trabajo de las NNUU que termina siempre pronosticando la inevitabilidad del crecimiento migratorio. Hoy, NNUU tiene muy atenuados los ideales que llevaron a su fundación tras la Segunda Guerra Mundial. En aquel momento se pensaba que iba a ser el germen de un gobierno mundial; incluso la propia organización hizo pinitos para crear una «religión mundial» (en el propio edificio de la Asamblea General de las NNUU existe una «Sala de la Meditación» habilitado por el primer secretario general de NNUU, que debía haber sido el primer templo de la nueva religión mundial). Este ecumenismo religioso y esta unificación mundial debían tener también una uniformización étnica: la creación de una sola raza mestiza crisol de todas las existentes en nuestros días. Dado que las poblaciones estaban tradicionalmente fijadas a territorios geográficos concretos, para que esta uniformización étnica se operase era preciso que se produjeran flujos migratorios de envergadura. Tales flujos resultarían traumáticos para las poblaciones receptoras y productoras, de inmigración, pero, al cabo de unas décadas, el mestizaje universal se habría estabilizado y se viviría un enriquecimiento multicultural de la humanidad. Este mito originario ha subsistido en algunas capas de funcionarios de las NNUU. De ahí que este organismo internacional en sus estudios sobre la inmigración en Europa o sobre el envejecimiento de la población mundial, concluyan que los países desarrollados están abocados necesariamente a aceptar grandes flujos migratorios y que es preciso tender a un mestizaje del que resultaría una «raza universal».

Ciertamente los datos objetivos muestran el envejecimiento de la población. Europa occidental tardó todo el siglo XX en duplicar su población mayor de 60 años. China ha hecho otro tanto en los últimos 30 años. En Europa es donde porcentualmente el fenómeno es más preocupante. En los próximos 10 años, la generación que nació con el «baby boom» de los años 60, se irá jubilando progresivamente a partir del 2025. Y dentro de Europa, el sur es la zona que ha envejecido más rápidamente dadas las bajas tasas de natalidad y el aumento de la esperanza de vida.

La edad media de los españoles será de 55'2 años y, como hemos dicho, las NNUU prevén que haya perdido un 21'6% de la población. En 1900 sólo un 26% de los españoles alcanzaba los 65 años. Hoy el 85% llega y supera esa edad. El «Informe 2000», elaborado por el Ministerio de Trabajo, establecía que en el año 2000 existían 40,2 millones de españoles, de los que el 16'2% eran mayores de 65 años. Por entonces ya existían más jubilados que menores de 14 años. Cuando los nacidos en el período del «baby boom» (1957 y 1977) se vayan jubilando (lo que ocurrirá entre 2020 y el 2040), a España le cabrá el dudoso honor de ser el país más viejo del mundo.

¿Debemos de buscar la redención de nuestros errores demográficos pasados en la inmigración masiva? Difícilmente. Lo que si deberíamos hacer es pedir responsabilidades a quien ha favorecido el que hayamos llegado a esta situación.

El mito de los huecos laborales

Entre los mitos más falaces que sostienen los proinmigracionistas figura el que los españoles realizan trabajos que los españoles rechazan.

Este mito se inició oficialmente en España cuando aún no existía un flujo migratorio significativo. En efecto, el 5 de octubre de 1993, el entonces director general de Política Interior, Fernando Puig de la Bellacasa, dijo en Gerona –una de las provincias españoles que, por su carácter fronterizo tenía en aquella época una mayor tasa de inmigración– que el Gobierno no cerrará las puertas a la inmigración porque «hay un segmento de la bolsa de trabajo que no es ocupado por ciudadanos españoles». Puig de la Bellacasa anunció que la administración central endurecería al mismo tiempo su política contra la inmigración ilegal en España, país que presenta un índice de extranjeros «muy bajo» respecto al de otros países de la CE. Palabras y promesas que diez años después de enunciadas, provocan sonrisas.

Esas declaraciones vinieron en un momento en que comenzaban unas «Jornadas sobre la Inmigración» organizadas por la comisión de ONGs de las comarcas gerundenses. Estas jornadas se plantearon como una continuidad del llamado «Informe Gerona», presentado oficialmente en 1992, que incluían 50 propuestas para la integración de los inmigrantes en España (siguen las sonrisas a diez años vista). Puig de la Bellacasa señaló en aquella ocasión que los objetivos del Gobierno central, con vistas a futuros planes de inmigración, se basaban en «flexibilizar la inmigración legal y dificultar al máximo las vías de inmigración ilegal» (aquí las sonrisas se han transformado en carcajadas a la vista de que, precisamente, la legislación aprobada por el PSOE equiparaba uno y otro tipos de inmigración). Para actuar en este sentido, Puig señaló que se incidiría en cinco puntos básicos: política de visados, de fronteras, de asilo, de lucha contra el trabajo clandestino y de expulsiones. La noticia –publicada en 1993, no se olvide– prosigue afirmando que el Gobierno trabajará para «regular el flujo de inmigrantes hacia España, impidiendo la entrada de extranjeros ilegales que antes utilizaban el visado turístico». Pues bien, desde entonces ni el PSOE en sus tres últimos años de gobierno, ni el PP en sus dos legislaturas parecen no haber hecho absolutamente nada efectivo en este terreno.

En aquellas fechas, según una encuesta del Centro de Investigaciones Sociológicas (CIS), un 8% de la población española se manifestaba dispuesta a votar a un partido de tendencia racista y un tercio de los españoles consideran que hay demasiados extranjeros. Las cifras oficiales las presentó a esas jornadas gerundenses, Víctor Bayarri, delegado de la Comisión Interdepartamental de la Generalitat para Asuntos de Inmigración, quien explicó que la inmigración extranjera en España era menor que en el resto de Europa y puso como ejemplo Luxemburgo, donde la población inmigrante era en aquellas fechas del 28%, Alemania con un 8,2% y Francia con un 6,4%, mientras que en Cataluña apenas era del 1,8% (106.673 inmigrantes) y en España eran el 1,5% (540.541 inmigrantes en cifras absolutas).

Pero 10 años después, las cosas habían cambiado extraordinariamente. Las cifras oficiales de inmigrantes en los barrios barceloneses de El Raval y de La Ribera habían superado en 10 puntos a ese 28% luxemburgués que parecía tan alejado en 1993.

No nos alejemos de la cuestión. Vamos a desmentir un mito. Resulta dramático contemplar las condiciones de vida de algunos inmigrantes extranjeros en España. Recordamos un par de búlgaros de etnia gitana que trabajaban en la construcción y a los que entrevistamos en Madrid. Uno de ellos vivía la mayor parte del año a la intemperie y, excepto lo que gastaba en España en transporte y alimentación, enviaba su salario de peón de la construcción a su esposa. Con 600 euros, ella podía vivir holgadamente durante cuatro meses… Hay que decir que su salario ascendía a más o menos, 800 euros y que se trataba de un inmigrante «sin papeles». El otro inmigrante búlgaro y su esposa, ambos ilegales, trabajaban también en construcción y limpieza; entre los dos ganaban en torno a 1.600 euros. Vivían en una habitación próxima a la Ronda de Toledo, en un pequeño piso de apenas 75 metros cuadrados en la que existían otras tres habitaciones similares de apenas 12 metros cuadrados cada una que compartían con otras dos matrimonios búlgaros. La cocina, un pequeño comedor y el lavabo eran el espacio común. Hemos visto personalmente esas habitaciones y podido hablar igualmente con inmigrantes filipinos residentes en Barcelona (estos legales); en el mismo piso vivían 10 e incluso 14 jóvenes de la misma nacionalidad, que trabajaban en establecimientos de hostelería del Paseo de Gracia. La empresa que los contrató les aseguraba vivienda. Esta consistía en una litera en un destartalado piso del barrio de El Raval que debía compartir con otros catorce compatriotas. Cobraban el salario mínimo interprofesional. En la zona de El Ejido y en otras se sabe de inmigrantes que vivían en edificios en ruinas en el momento de los incidentes del 2000. A Lucrecia Pérez la asesinaron en las ruinas de una discoteca en la que vivía con otros treinta inmigrantes. La situación de buena parte de los inmigrantes no puede ser más dramática….

¿Qué tiene que ver esto con el título del capítulo? Mucho. No se trata de que no haya españoles dispuestos a hacer según que trabajos; se trata de que una parte de los trabajos ocupados por inmigrantes, no pueden estar ocupado por padres de familia, ni siquiera por jóvenes españoles, simplemente por que no garantiza que el desempeño de ese trabajo asegure un mínimo nivel de vida aceptable para una familia española. En efecto: nadie que cobre el salario mínimo, puede asegurar su subsistencia y mucho menos la de su familia. El alquiler de una vivienda ya supera con mucho ese salario en las grandes ciudades y, por supuesto, no asegura los mínimos requeridos para la manutención. El estilo de vida de un joven español tiende a intentar formar una familia, en absoluto busca vivir en una litera con otros 14 compañeros o renunciar a un techo. El inmigrante acepta una vida más espartana, e incluso, más que espartana, miserable, simplemente por que ha dejado atrás un infierno en el que ni siquiera le era posible asegurar la subsistencia de su familia, ni muy frecuentemente su vida propia. Para amplias capas de la inmigración, dormir al raso, en una litera o en apenas 12 metros cuadrados, no es para él el paraíso, desde luego, pero es algo a lo que está dispuesto por que representa una mejora en su situación en relación a lo que ha vivido antes.

La cuestión es que solamente pueden aceptar el salario mínimo (o incluso inferior en el caso de ilegales) quienes han venido aquí a trabajar procedentes de latitudes en las que la vida es mucho más difícil que aquí. En otras palabras: existen inmigrantes que venden su fuerza de trabajo a unos precios que resultan absolutamente incompatibles con los precios a los que españoles de la misma cualificación profesional están dispuestos a trabajar. En una economía de mercado, la fuerza trabajo está sometida a las leyes de la oferta y la demanda como cualquier otra mercancía. Si en Barcelona no existieran miles de inmigrantes dispuestos a entrar en el sector de hostelería –sin ninguna experiencia previa, ni siquiera sin un mínimo dominio del idioma– las empresas no estarían dispuestas a ofrecer solamente el salario mínimo a los trabajadores... simplemente por que decenas de jóvenes españoles con estudios en las escuelas de hostelería, estarían dispuestos a trabajar; y en una situación en la que existe mucha demanda de trabajo y una oferta laboral menor, los salarios tenderían a subir. En otras palabras: los beneficios de las empresas tenderían a bajar. Las grandes empresas del sector de hostelería han optado precisamente por lo contrario: contratar a empleados esforzados, abnegados, dispuestos a cualquier jornada laboral y, en su gran mayoría, sin conocimientos en el sector, antes que contratar a empleados con conocimiento de oficio y de sus derechos sindicales, dispuestos a cumplir sólo lo pactado en el contrato firmado, salidos de las escuelas de hostelería y que además exijan un salario que les permita un aceptable nivel de vida. VIP's, por ejemplo, anunció a principios de 2003 que quería acabar el año contando con un 40% de trabajadores extranjeros en sus instalaciones. Por algo sería.

El drama radica en que el nivel de vida «aceptable» para un inmigrante (o, mejor dicho, que está dispuesto a aceptar), no es el mismo que el que puede aceptar un joven español. Un joven de nuestro ámbito geográfico, claro que puede dormir en una habitación de 12 metros cuadrados con su esposa, claro está que puede dormir en un piso en El Raval junto a otras 12 personas y en una simple litera… claro que puede... pero no está dispuesto a hacerlo. El inmigrante, en cambio, sí está dispuesto por que ha salido de un entorno socioeconómico degradado y en donde las condiciones de vida son extremadamente más duras que aquí.

Por eso, la fuerza de trabajo autóctona, no puede competir en muchos terrenos con la fuerza de trabajo alógena. Por tanto, no se trata de que haya trabajos que los españoles no quieran ejercer por simple fatuidad o por desdén y distanciamiento hacia ellos… lo que ocurre es que los jóvenes españoles, habituados a un estilo de vida derivado de la sociedad del bienestar y de capitalismo avanzado, ni están dispuestos, ni pueden trabajar en empleos con salarios de miseria. Y el inmigrante sí está dispuesto a ello.

Los émulos de Puig de la Bellacasa –el primero en hablar públicamente de este tema– olvidan que no hace mucho los jóvenes españoles se desplazaban masivamente a la vendimia francesa a hacer los mismos trabajos que ahora no hacen en los campos de España… La explicación a este fenómeno no se le escapa a nadie con dos dedos de frente: en la vendimia francesa ganaban un salario aceptable a cambio de un esfuerzo grande, pero que asumían… Por tanto no es un problema de dureza del trabajo, sino de salarios. Es así de sencillo.

Un mínimo sentido de la justicia social implica la igualación de derechos laborales de los inmigrantes extranjeros. Y, de hecho, legalmente está contemplado que no puede haber ningún tipo de discriminación salarial sea cual sea el origen nacional del trabajador. Pero, esta igualdad ante la ley, se enfrenta a una desigualdad de hecho: un inmigrante que acepte compartir un piso con otros diez, pagará únicamente la décima parte del alquiler… esto no ocurre con españoles; cuando acepta vender la fuerza de trabajo, un español intenta recibir a cambio lo suficiente como para vivir el «modelo español», esto es, tener una casa para sí y para su familia. El inmigrante, en buena medida, ha venido nuestro país con otros objetivos, otros ideales y con diferentes perspectivas: acepta aquello que resulta inaceptable para nuestros jóvenes.

Si el modelo social establecido consiste en reconocer el derecho de las empresas a obtener el máximo de beneficios y reducir la fuerza de trabajo a un elemento más sometido a la lógica de la oferta y la demanda, no lo neguemos: van a hacer falta millones de inmigrantes dispuestos a trabajar por un salario exiguo (pero siempre superior al que perciben en su país). Y esto implica, necesariamente, que sectores enteros de la economía nacional, van a estar cerrados a trabajadores españoles. Como ya ocurre en la práctica. Va a existir una discriminación y no precisamente hacia el inmigrante que siempre, no lo olvidemos, resulta más rentable, especialmente si es ilegal. Hasta el momento de escribir estas líneas la penalización en la contratación de trabajadores ilegales ha sido simbólica. Algún malpensado tenderá a explicar así por qué el gobierno permite que persistan en la situación de ilegalidad durante años un número extremadamente alto de inmigrantes a los que ni se les regulariza, ni se les repatría, constituyendo una fuerza de trabajo al margen de la legalidad, inhabilitada para exigir derechos salariales y sindicales y abocada a la provisionalidad.

Esta tendencia es lógica dentro de la evolución del capitalismo: mayor beneficio a costa de reducir cualquier gasto, empezando por la partida «costos laborales» que puede reducirse al mínimo legal. Hemos dicho «legal», no justo.

Hasta el 2001 era frecuente que jóvenes españoles en edad de cursar estudios, aprovecharan las vacaciones veraniegas para trabajar durante tres meses y ganar un salario que les permitiría disponer de ahorros en buena parte del curso. Se trataba, por lo general, de hijos de familias de economía modesta. Solían encontrar trabajo fácilmente en supermercados, como reponedores, o bien en el sector servicios, especialmente en hostelería. A partir del 2001 y, mucho más en el 2002, esta práctica se les ha hecho improbable, sino imposible.

En efecto, las empresas han preferido contratar a mano de obra inmigrante. Señalamos esta tendencia solamente por el hecho de que los perjudicados por esta práctica son especialmente las clases más modestas. Casos como estos explican por qué los partidos que en toda Europa sostienen posturas contrarias a la inmigración están apoyadas, sobre todo, por clases populares. En efecto, son estos sectores sociales los más afectados por la inmigración y ello por dos motivos: los inmigrantes les disputan trabajos que hasta ahora les pertenecían en exclusiva y, en segundo lugar, los mayores contingentes de inmigrantes tienen a «ghettizarse» en zonas urbanas que, hasta ahora, eran ocupadas por estos sectores sociales desfavorecidos.

En la práctica la situación de los ilegales es de completa inseguridad laboral. Aunque las empresas y los empresarios estén amenazados con graves sanciones por contratar a ilegales, es evidente que esta contratación se produce, e incluso en algunas zonas es masiva. En las obras solamente aparecen inspectores de trabajo si se produce algún accidente laboral. Todo el mundo lo sabe, así que, en el momento en que se produce algún accidente, los inmigrantes ilegales desaparecen de la obra para volver al cabo de un par de días. Por lo demás, hay colectivos inmigrantes, como los chinos, buena parte de los cuales están contratados por sus propios compatriotas en talleres clandestinos sin posibilidades de control.

Todo esto es completamente absurdo: no se les dan papeles, pero si se hace la vista gorda ante su contratación ilegal. Se sabe que las mayores bolsas de inmigrantes ilegales están en las colas de la Oficina de Extranjería de los Gobiernos Civiles, pero las propias autoridades se niegan a reconocerlo. No tienen el valor de aplicar la Ley de Extranjería y proceder a las repatriaciones masivas que serían perceptivas según la ley, por que temen las reacciones que provocaría esa misma ley aprobada por ellos... Esa gran masa de ilegales contribuye a bajar aún más los precios de la fuerza de trabajo. Ahí si que la situación de igualdad con los trabajadores españoles es impensable. Hemos visto trabajadores en sectores muy diferentes (teleoperadores de líneas 906, trabajos agrarios, asistentas) en los que una jornada agotadora se recompensaba a fin de mes con entre 400 y 500 euros. En esas circunstancias es imposible sobrevivir. Quienes si sobreviven perfectamente son los empresarios que disponen de una mano de obra esforzada, dura y sin capacidad ni voluntad para reclamar sus derechos. El negocio perfecto.

El mito del mestizaje

En los últimos años la palabra «mestizaje» ha adquirido una relevancia difícilmente igualable a vocablo alguno traído por la moda. Por que de moda se trata. Lo «mestizo» tiende a considerarse superior por definición. Algunos razonamientos que hemos oído nos sorprenden por su ñoñería y gratuidad. Un cantante de moda ha defendido lo mestizo aludiendo al género canino: «¿No habéis visto esos perros de pura raza con pedigrí que son completamente estúpidos? Siempre les gana el perro callejero surgido de mil mestizajes y que siempre es el más listo de las calles». Se podría contar aquella anécdota (que ha sido atribuida a personajes muy diferentes) en la que una mujer extraordinariamente bella, pero no particularmente dotada de una inteligencia preclara propuso a Einstein tener un hijo que sería la suma de su belleza y el talento del físico. A lo que Einstein le replicó si era consciente de lo que podría ocurrir si el vástago resultante tuviera la belleza del físico y el talento de la buena dama. Lo que le proponían a Einstein, en el fondo, no era más que un experimento de mestizaje. Y en estos casos nunca se sabe lo que puede resultar. O quizás si. Fíjense que las religiones afrocaribeñas han surgido de un mestizaje de la religión de los esclavos negros importados del continente africano –frecuentemente yorubas– con el cristianismo que se veían obligados a aceptar. El resultado han sido distintas formas de religiosidad en la que lo siniestro se mezcla con lo supersticioso y la maldad con la magia. Evidentemente, el resultado de la mezcla de la religiosidad yoruba con la religiosidad cristiana, ha dado como resultante un producto religioso problemático. Así que no hay nada seguro en los mestizajes.

Pero hoy la palabra está de moda. Quienes la defienden sostienen valores como la multiculturalidad, y, por supuesto, se manifiestan a favor de la inmigración, seguros de que la humanidad, finalmente, camina a la constitución de una raza única mestiza. Habitualmente, este tipo de argumentaciones son defendidas por artistas e intelectuales, creadores que extraen elementos procedentes de distintas culturas para inspitarse. Pero esto tienepoco que ver con el fenómeno al que estamos aludiendo: la inmigración masiva. Se trata de razonamientos propios de intelectuales que, como tal, tienen una dosis muy fuerte de separación de la realidad económica, social y política. Incluso de la cultural.

La doctrina del mestizaje ofreceel fundamento teórico del lobby pro-inmigracionista. Por que si la humanidad camina en pocos años hacia una sociedad global, en donde la mezcla étnico-cultural es nuestro destino, ¿para qué poner puertas al campo e intentar detener lo inevitable? Conclusión, «papeles para todos».

El discurso sobre el mestizaje, como todos los discursos cargados de tópicos, es de escasa calidad intelectual. Por que, a fin de cuentas, hay que tener conciencia de cuál es la propia cultura de referencia para poder proponer el mestizaje de esa cultura con otra. Y aquí radica el problema: que algunos intelectuales y artistas europeos han perdido exactamente la visión de cuáles son sus raíces culturales básicas. Realizar un mestizaje es descontextualizar elementos de una cultura para unirlos a los de otra, igualmente descontextualizados. Cada elemento de una cultura forma parte de un todo orgánico insertado en factores geográficos, antropológicos e históricos. Al descontextualizar algún elemento particular de una cultura y unirlo con otros elementos igualmente descontextualizados de otras culturas, se pierde la organicidad que tenía ese elemento, generándose un nuevo producto imposible de ser insertado en ninguna de las organicidades previas. Será de naturaleza inestable y dependerá de la moda.

Nuestro entorno es el de la cultura europea. Europa nace de tres componentes muy próximas unas de otras: el pensamiento clásico greco-latino, el estilo nórdico-germánico y el cristianismo. El pensamiento griego definió las bases de lo que luego sería la Cultura Clásica y se guiaba por una ambición: conocer el mundo tal cual era, percibirlo con objetividad. La simplicidad de los argumentos de la lógica de Aristóteles o de la metafísica de Platón sientan las bases filosóficas de Europa. Por lo demás, los presocráticos habían experimentado un interés en conocer el fundamento mismo del mundo. Sus especulaciones sobre la naturaleza de lo manifestado están en la base del pensamiento científico. Todo esto, teorizado por los descendientes de los aqueos y los dorios, encuentra en otro pueblo procedente de troncos étnicos similares, su aplicación práctica: así nace y se expande Roma. Con Roma el pensamiento griego se universaliza y se convierte en el basamento cultural que justifica su expansión imperial. Cuando Berzynski y otros teóricos del imperialismo norteamericano, estudian la gesta romana, no pueden evitar realizar comparaciones, pero olvidan lo esencial: la Roma que conquistó y construyó vías, que civilizó Europa era portadora de unos valores que valía la pena conocer; sería muy difícil pensar que los marines que han invadido Irak traen en sus mochilas algo remotamente similar.

El impulso de Roma, al decaer dio paso a las invasiones nórdico-germánicas. El espíritu romano adulterado por el hedonismo y la decadencia había dejado de ser el de los primeros tiempos de la República y el de la Roma Imperial. Los valores de la romanidad se habían agotado completamente a partir de mediados del siglo III. El templo de Jano en Roma abría sus puertas en los momentos de paz. Desgraciadamente para la romanidad, esas puertas permanecieron mucho tiempo cerradas. La Pax Romana solo logró afirmarse en un tiempo relativamente corto. Todo lo demás fueron guerras para asegurar las fronteras del Imperio. Y en esas guerras, como siempre, murieron los mejores. No es raro que a lo largo de un ciclo de casi mil años, desde que Rómulo y Remo dejaran constancia de la fundación de Roma, hasta que Odoacro rey de los Hérulos depuso al último emperador Rómulo Augustulo y envió las insignias imperiales a Bizancio, Roma sufriera una sangría en interminables de guerras que terminó mermándola y debilitándola.

Pero cuando se produjeron las invasiones nórdico-germánicas, resultó curioso constatar que los recién llegados mantenían unos valores muy similares a los que compartieron aqueos y dorios y los primeros pueblos de la romanidad. La vida austera, difícil, las relaciones ásperas de hombre a hombre, de poder a poder, la estructura trifuncional de la sociedad (guerreros, sacerdotes y artesanos), la simplicidad de los cultos domésticos, el panteón de los dioses cada uno de los cuales tenía su equivalente en el romano y en el griego, la concepción cíclica de la historia, todo ello había regresado de forma tosca y brutal. Pronto, los invasores se romanizaron y, aun provocando el colapso inicial de las instituciones y de la civilización romana, asumieran con facilidad y en pocos años estas orientaciones y terminaran por considerarse ellos mismos herederos de Roma. La fórmula de consagración como Emperador de Carlomagno era «renovatio romani imperii». Y el nombre oficial del Sacro Imperio Romano Germánico es suficientemente ilustrativo como para que lo comentemos.

Pero existió un tercer elemento de carácter civilizador: el cristianismo. Dejando aparte la anécdota del cristianismo de los orígenes, del tiempo en el que Pablo escribe sus epístolas y en el que se percibe que la naciente Iglesia de la época sufría todo tipo de confusiones ideológicas y doctrinales, dejando aparte el odio con que el cristianismo primitivo trató al Imperio, incluso antes de que empezaran las persecuciones, lo cierto es que hasta la conversión de Constantino resultaba difícil establecer cuál era el verdadero credo cristiano. No estaban claros los límites de las tendencias gnóstico-cristianas, la línea en donde empezaba el cristismo y terminaba el paganismo, pero estaba muy claro que el cristianismo perseguía antes de la batalla de Puente Milvio, la perdición del Imperio. Estas orientaciones cambiaron cuando el cristianismo debió enfrentarse a la tarea de gobierno. Y mucho más debería cambiar en los siglos siguientes.

Entre los siglo IV y VII, estos tres elementos se interrelacionaron y de ahí surgió la catolicidad. Ésta recuperó la idea jerárquica de organización romana, la idea imperial y la ambición de que el poder civil y el poder religioso construyan un «imperio universal», esto es, católico. Por su parte, los pueblos bárbaros habían aportado su concepción de la «fides», que se convirtió en la base de la sociedad feudal hecha de deberes y obligaciones, de derechos y contraprestaciones, de equilibrios, en definitiva, en los que cada persona o institución sabía cuál era su situación en la pirámide social o del Estado, sabía de quien dependía y a quien debía lealtad, en dónde buscar protección y a quien, a su vez, debía proteger. En la rudeza de la «fides» medieval se perciben los ecos del mundo nórdico germánico y de la romanidad originaria. El tributo a la filosofía clásica ha obligado a los teólogos a establecer un basamento doctrinal para su fe. El mundo medieval se modula sobre estas tres concepciones.

¿Puede decirse que la humanidad medieval surgiera de un mestizaje? No es desde luego la palabra que conviene, el concepto de mestizaje se aplica a aquellas mezclas en la que ambos componentes están originariamente muy alejados unos de otros: imaginemos un intento de crear una música a partir del rap y del canto gregoriano... alejados lo suficiente como para el resultado –por problemático o brillante que fuera– pudiera ser llamado con propiedad mestizo. Por el contrario, la música de Bach, la de Beethoven o Mozart tienen los suficientes puntos en común para que quien ama a las tres, no tenga un gusto «mestizo». Por que el mestizaje, a fin de cuentas, no existe cuando las distintas familias que producen la síntesis, están muy próximas o simplemente, su origen es el mismo. Así pues, la humanidad medieval no nació de un mestizaje sino más bien de una síntesis entre distintas partes que habían sufrido mutaciones a lo largo del tiempo.

Por último, cuando la humanidad medieval periclitó y apareció el humanismo renacentista, el círculo se cerró y se produjo un intento de retorno a los orígenes del mundo clásico. Buscando nuevas fuentes de pensamiento se llegó finalmente a aquella que hacía del hombre el centro del mundo. No es raro que muchos humanistas medievales fueran al mismo tiempo científicos o tuvieran en cualquier caso un interés científico.

Pues bien, estas cuatro componentes forman «mi» identidad. No es ni superior ni inferior a cualquier otra. Muchas de sus ideas no son exclusiva de ella, han aparecido también en el mundo oriental, en Japón, en la India, en Persia, etc., pero esa es «mi» identidad que cabalga junto a un espacio geopolítico europeo común, junto a unos troncos étnicos relativamente homogéneos y psicológicamente no muy diferenciados, y a una historia común. «Mi» identidad puede definirse en rigor como identidad europea. Sé cuales son sus componentes, las reconozco allí donde están. Me interesará más una u otra, mi ser comprenderá mejor tal o cual orientación, pero, en definitiva: ese es «mi» mundo, esa es «mi» identidad. No lo considero un mundo mestizo, creo que la simplicidad de una columna dórica, sin artificios, sin concesiones a lo superfluo, pero de una belleza estremecedora, puede ser tan amada y querida como una melodía celta o como el canto gregoriano o la admiración por el David de Miguel Angel, el detalle cuidadoso de los primitivos flamencos, la lectura y el mensaje de la literatura graélica o la prosa de aquel humilde soldado herido en Lepanto que fue Miguel de Cervantes... Soy europeo y esta es mi cultura, sus componentes están muy cerca unas de otras como para que vea en ellas un mestizaje. Como los hijos de un mismo padre tienen distintos caracteres y distintas orientaciones personales, las componentes que han hecho de Europa el motor de la civilización, son demasiado similares como para que su interrelación sea considerada como un mestizaje.

Por lo demás, cuando los teóricos del mestizaje aluden a él deberían realizar una matización. Esa teoría solamente tiene éxito y se afirma en Europa. En EEUU, abolida la discriminación en los años 60, paradójicamente hoy existe (como en Sudáfrica) más discriminación que nunca. En efecto, los jóvenes blancos acuden a conciertos de rock o de country y los afroamericanos a conciertos de rap, salvo en las grandes ciudades en donde si hay signos del mestizaje cultural de moda en Europa. Fuera de estos focos, muy pocos norteamericanos tienen tendencia a mezclarse, tal como puede intuirse por las teleseries llegadas del Hollywood y que para tener aceptables cuotas de audiencia deben reproducir las tendencias dominantes en la sociedad. Difícilmente encontraríamos una teleserie «mestiza». La sociedad americana es así, no pidan que la juzguemos. Por su parte, en Sudáfrica la evolución ha sido más dramática. Tras la abolición del apartheid y la presidencia de Mandela, se produjo tal ola de criminalidad en el país, que las distintas comunidades étnicas se atrincheran en sus barrios y procuraron no tener más relaciones unas con otras, atribuyendo siempre a la comunidad vecina, propósitos criminales. A diez años de la abolición del apartheid, lo que ha surgido en Sudáfrica no es una comunidad mestiza, sino, paradójicamente, un apartheid en cierta forma más radical que el que se daba en el período de dominación blanca. Hoy, las comunidades étnicas en Sudáfrica están cerradas y son más impermeables que nunca.

El discurso sobre el «mestizaje» solamente se produce en Europa y en EEUU, llevado por élites intelectuales que gozan de un singular favor mediático. Por que, en realidad –tal como ha demostrado Guillaume Faye en «El Arqueofuturismo»– «Los otros continentes, principalmente Asia y África, forman cada vez más bloques étnicos impermeables que exportan el excedente de sus poblaciones». El mestizaje no interesa a los hindúes, ni a los iraquíes, ni a los movimientos reivindicativos andinos.

No podemos huir de lo que la naturaleza humana nos impone. Y el análisis de las respuestas de esa naturaleza humana nos dice que los miembros de una misma comunidad tienden a agruparse automáticamente entre ellos, allí donde se encuentren. No es que sea positivo, ni negativo, es que la naturaleza es así. No es de extrañar que el mensaje sobre el mestizaje sea defendido por intelectuales y artistas, frecuentemente desarraigados y sin conciencia clara –o sin capacidad– para reconocer cuáles son sus raíces culturales y las de su pueblo. Pero ese discurso no es compartido en absoluto por las comunidades de inmigrantes que han llegado a Europa. Habitualmente estas comunidades han reproducido en territorio europeo sus costumbres, sus tradiciones ancestrales y su forma de vida. Conocen perfectamente cuáles son sus orígenes, tienen unas referencias culturales perfectamente asumidas... ¿para qué van a necesitar buscar en el mestizaje algo que ya tienen en su patrimonio y que responde exactamente a su psicología?

V
Partidos política e inmigración masiva

La posición de los partidos políticos sobre el tema de la inmigración es, frecuentemente ambigua. Esa ambigüedad nace de su propia naturaleza. En efecto, los partidos mayoritarios con demasiada frecuencia demuestran ser las correas de transmisión de intereses particulares que nada tienen que ver con las opciones que dicen defender. Los grupos de presión económicos precisan el concurso de la clase política para defender sus intereses. De hecho, los mejores negocios se hacen siempre a la sombra del poder. Y quien abre el poder a los grupos económicos son los partidos mayoritarios y de gobierno. Naturalmente, una mayor o menor ayuda a estos partidos les garantiza (o les merma) el acceso al poder. El escándalo del tránsito de dos diputados socialistas al grupo mixto en el parlamento madrileño ha evidenciado que aún hoy, en 2003, existen grupos económicos que condicionan la vida política española y el ejercicio mismo de la democracia. En un tema tan sensible como la inmigración, la opinión de los partidos mayoritarios ha sido muy parecida. Con matices, por supuesto.

Antes hemos demostrado que el aumento de la inmigración favorece a sectores económicos particulares (construcción, hostelería y agrícola, fundamentalmente). No es de extrañar, por tanto, que estos grupos económicos hayan hecho valer su peso y su influencia para «orientar» la opinión de los partidos mayoritarios sobre esta cuestión. Y los partidos políticos –en especial el

PP– con fidelidad perruna han cumplido el mandato. Por que el principal responsable del descontrol que en estos momentos afecta a la inmigración –lo repetimos– no es otro que el PP: el problema se ha gestado bajo su gobierno, ha crecido en los años de su mandato y se ha descontrolado bajo las distintos equipos ministeriales populares que se han sucedido en Interior, de tal manera que cuando se han propuesto resolver el problema, éste ha alcanzado tal envergadura que parece difícil encarrilarlo y desde luego no se logrará con las medidas aprobadas el 11 de septiembre de 2003.

Esto contrasta con la opinión del electorado de centro-derecha que tradicionalmente ha mostrado reservas a las políticas laxas seguidas por el gobierno ante la inmigración. En otras opciones de izquierda, existe una unicidad entre la lógica del partido, el sentir de sus electores y la acción de gobierno en esta materia. Allí donde ha gobernado Izquierda Unida o Iniciativa per Catalunya, los inmigrantes, legales o ilegales, han visto mejorar sus espectativas. No puede extrañar: la ideología de este sector político implica la defensa a ultranza del «papeles para todos», aunque esta defensa sea un suicidio político y una irresponsabilidad autodestructiva, tal como el ejemplo del PCF ha demostrado. Cabe reconocerles fidelidad a sus principios.

En cuando al PSOE, es difícil fijar sus opiniones sobre la materia. Habitualmente han sufrido «giros copernicanos», tanto en la etapa de gobierno como en la de oposición. El interés del PSOE por la inmigración fue temprano. En las resoluciones del XXXII Congreso del partido socialista (1990) se definió un embrión de política de inmigración. Por entonces, Carmen García Bloise, militante histórica del PSOE, secretaria ejecutiva del PSOE, había impulsado la Conferencia Federal de Política Migratoria cuyos objetivos eran conseguir la integración y participación de las poblaciones inmigrantes en la política social, laboral, cultural y educativa de la nación de acogida. García Bloise subrayó que en la definición de esta estrategia se trabajaba conjuntamente con el Ministerio de Trabajo. Esta iniciativa tenía más que ver con la inmigración española en el extranjero (2.000.000) más que con la inmigración extranjera en España (400.000 entre comunitarios y no comunitarios). Manifestaron, eso sí, la necesidad de realizar un censo de emigrantes y establecer facilidades para la adopción de la nacionalidad española para sus hijos, destacando el interés que esto tiene de cara al descenso de la natalidad en España (que ya se preveía y que nadie se preocupó de contrarrestar...). El congreso planteó una política favorable a estas entradas, no sólo desde el aspecto social y humano, sino también para regular la economía.

En los años 80 llamó la atención el interés que los partidos socialistas de toda Europa habían puesto en las comunidades de inmigrantes. Se trataba de un interés no tan desinteresado. A lo largo de los años 70 y 80 se había evidenciado que la clase obrera de los países más industrializados de Europa estaba dejando de ser el electorado natural de los partidos de izquierda, en la medida en que experimentaban un proceso de aburguesamiento que los llevaba inexorablemente hacia posiciones más conservadoras. Así pues, para la izquierda europea se trataba de encontrar un electorado de sustitución, ¿por qué no las colectividades de inmigrantes que, antes o después, dispondrían de derechos políticos? De ahí que los partidos socialistas y comunistas adoptaran una posición inequívocamente pro-inmigracionista a partir de esa época.

Hemos dicho que la responsabilidad del actual descontrol de la inmigración corresponde al PP. Pero no totalmente. A pesar de que el período de gobierno socialista no coincidió con las grandes oleadas de inmigración, bajo su mandato se produjeron algunos «movimientos» que dejaban prefigurar lo que iba a ocurrir menos de una década después. En 1990 ya se preveía que 10 años después la cuestión se iba a transformar en conflicto.

Hasta Corcuera, advertía en 1992 que la inmigración será «probablemente uno de los problemas más graves de España a medio plazo». Durante una comparecencia ante la comisión de Justicia e Interior de la Cámara Baja, Corcuera anunció que antes de finales de 1992 se establecerían los cupos de trabajadores foráneos que podrían venir a España y se reforzará la acción policial contra las mafias de los inmigrantes. Habían pasado pocas semanas desde el asesinato de la inmigrante dominicana Lucrecia Pérez que causó un tremendo impacto en la sociedad española. Respecto a esto Corcuera sostuvo que el crimen había sido instrumentalizado y manipulado por algunos grupos para exigir la derogación de la ley de extranjería de 1985, y exclamó: «Que Dios libre a los extranjeros de algunos defensores».

Ya en 1991, España era uno de los países del mundo donde más había crecido la población inmigrante extracomunitaria, al pasar en dos años de 200.000 a 400.000, según un informe de la Organización de Cooperación y Desarrollo Económico (OCDE). Los marroquíes se habían convertido, con 50.000 personas en la comunidad más numerosa en España, seguida de la alemana, portuguesa, francesa y argentina. En realidad, el crecimiento de los emigrantes en España se había acelerado a partir de 1989.

No era ningún secreto que la inmigración procedente de Marruecos iba a aumentar. Lo preveían todos, incluso el gobierno socialista español, las NNUU, la UE y el gobierno marroquí. Pero ni el PSOE, ni luego el PP, hicieron nada para evitarlo. El 16 de septiembre de 1994 los delegados que asistieron en Valencia a la II Conferencia Euro-Árabe de Ciudades, señalaron que el miedo al integrismo islámico podía provocar un aumento del número de inmigrantes norteafricanos en España. Ya en 1994, cuando el número de inmigrantes era apenas perceptible, los expertos indicaron que nuestro país había dejado de ser un país de emigrantes para convertirse en una nación de inmigrantes.

El propio alcalde de Murcia, José Méndez Espino, experto en cuestiones de inmigración, indicó que «uno de los temas más importantes que centran las discusiones en esta reunión fue el relacionado con la inmigración de los ciudadanos del Norte de

África a países como España, Francia, Alemania, Gran Bretaña e Italia. Se trata de gente muy joven, sin cualificación ni preparación profesional».

Aun previsto, nadie se preocupó en atajar el problema o paliar sus consecuencias. Algún día tendrán que explicar por qué, o bien el electorado deberá reclamárselo. Fíjense.

El 26 de octubre de 1992 una comisión interministerial del Gobierno aprobó un anteproyecto de ley para agilizar la concesión de visados a los familiares de los cerca de 110.000 inmigrantes instalados legalmente en España, es decir sobre la reagrupación familiar de los trabajadores extranjeros establecidos en España. La comisión no fijó ningún límite numérico a esta reagrupación. Por entonces, las cifras oficiales de inmigrantes extracomunitarios no superaban los 150.000. Así pues, esta ley, aprobada en un momento en el que la cifra de inmigrantes era baja, no preveía el boom del fenómeno. Al producirse éste, la política de reagrupación familiar fue sólo uno más de los muchos elementos que confluyeron a la cristalización del «efecto llamada». Solamente a principios de septiembre de 2003, el PP ha manifestado su intención de limitar la reagrupación familiar a los cónyuges, hijos y padres. Y no se sabe bien si esta propuesta, aún no aprobada en el momento de escribir estas líneas, es sincera o se trata tan solo de una argucia pre-electoral.

Claro que no todos pensaban igual. El presidente del Centro de Investigaciones Sociológicas (CIS), Joaquín Arango, afirmó el 15 de julio de 1992 en Santander, que de los datos existentes no se deducía en absoluto que los flujos de inmigración vayan a ser masivos en España. Arango, dijo a un grupo de periodistas que Europa vivía una «psicosis migratoria». El presidente del CIS manifestó que la inmigración es un fenómeno reciente en España que alcanzaba dimensiones muy reducidas en comparación con la mayor parte de los países de la CE, por lo que muchas actitudes de desconfianza o rechazo son proporcionales a esa presencia. Resaltó también la conveniencia de prescindir «del hábito que hemos adquirido de vaticinar grandes flujos inmigratorios en el futuro y, más aún, de términos negativos que contribuyen a despertar sentimientos de rechazo y a disparar reacciones atávicas, como la invasión o la amenaza del sur». Lo preocupante era que quien decía todo esto era el presidente del CSI, incapaz de prever aquello que, por activo y por pasivo, estaban alertando analistas, demógrafos, politólogos y sociólogos.

Llama la atención también que en aquel momento, aquella Comisión Interministerial de Extranjería acordase poner en marcha diversas medidas para reforzar la persecución del trabajo clandestino realizado por los inmigrantes y la explotación de estos empleados por parte de empresarios españoles. No parece que todos estos programas se hayan desarrollado exitosamente. Más bien, todo lo contrario.

En octubre de 1993, la administración socialista proclamaba –en medio de la última gran crisis económica que vivió nuestro país hasta la fecha– que España había dejado de ser un país «de emigrantes» para convertirse en «receptor de inmigración». El director general de Migraciones del Ministerio de Asuntos Sociales, Raimundo Aragón, fue el encargado de llevar a la opinión pública este triunfalismo en un curso organizado en la Universidad de Oviedo. Según Aragón, se podía decir que desde el año 1974 ya no se emigra de España, como demuestra que en 1991 sólo unas 10.000 personas salieran del país y que sólo un 5 por ciento de la población haya expresado su deseo de vivir en el extranjero. Aragón afirmó que, por el contrario, la inmigración «ha sufrido una evolución distinta» y ha registrado un fuerte incremento, favorecido en parte por el proceso de regularización de inmigrantes desarrollado a partir de la Ley de Extranjería de 1985.

Un año después, en 1994, el gobierno socialista aprobó un plan para la integración social de los inmigrantes, promovido por la entonces ministra socialista de Asuntos Sociales, Cristina Alberdi (y hoy disidente agria del PSOE). La Alberdi consideraba preocupante que hubieran aparecido «algunos fenómenos racistas» y expresaba su preocupación y la del gobierno por «estos posibles brotes de xenofobia». Lo más significativo de ese proyecto fue la constitución del Observatorio de Inmigración y el Foro de los Inmigrantes, creados para desarrollar el plan. El primero debía servir para realizar diagnósticos cuantitativos y cualitativos sobre la naturaleza del flujo de inmigración que llegaba a España. Así pues, en 1993 ya se preveía el fenómeno que diez años después se ha mostrado difícilmente controlable.

Siguiendo con la vista puesta en nuestra historia reciente, debemos de sorprendernos al recordar que el 5 de julio de 1990 el PP pidió «enérgicamente» en el Senado la regulación de la inmigración en España. En una loable defensa a los derechos de los inmigrantes, el portavoz del grupo, José Miguel Ortí, aseguró que la Ley de Extranjería «no sólo está produciendo lesiones de los derechos y libertades de los extranjeros en España, sino que está dando lugar a reacciones de xenofobia en sectores minoritarios de nuestra población». Ortí, no estaba adornado con el don de la videncia y no podía prever que una vez instalado en el poder con mayoría absoluta, el PP aprobaría una ley más restrictiva... que, paradójicamente, no tuvo ningún efecto regulador.

Quizás Ortí no fuera un vidente, ni siquiera un analista dotado, pero lo cierto es que a partir de mediados de los años 90, ya se tenía constancia de que en pocos años los flujos migratorios se iban a fijar en España como tierra de promisión. El 23 de mayo de 1994, la ministra Alberdi trabajaba en su famoso Plan de Inmigración, que debería «sentar las bases para afrontar el incremento de refugiados e inmigrantes que se producirá antes del año 2000», tal como anunció. Alberdi, que calificó de «generosa» la política de España en materia de inmigración, advirtió que «vamos hacia una sociedad multicultural y multiétnica en la que el respeto y la tolerancia serán valores básicos».

Efectivamente, la postura del PSOE podía ser considerada «generosa» y así lo reconocía en agosto de 1994 la Fundación

Agnelli en la conclusión del informe «El Islam en Europa». España era considerada como el país de la Unión Europea (UE) que concedía mayores reconocimientos a la religión islámica, pese a que la inmigración era un fenómeno muy reciente y que la población de fe musulmana no superaba el 0,6% del total. «España, Italia y Grecia –señalaba el informe– se han convertido en meta de los flujos migratorios a partir de mediados de la década de los 80, a menudo considerados como países de primer acceso para luego posiblemente proseguir hacia las naciones más apetecibles del norte de Europa». El informe precisaba que el Islam es «de tradición secular en España y de relevante importancia en la formación de la identidad española». Pero también hay quien opina justamente lo contrario desde el punto de vista histórico, a saber, que la identidad española se forjó precisamente en la lucha contra el Islam desde la batalla del Guadalete hasta Lepanto...

El 10 de enero de 1994, el flamante subsecretario de Interior, Fernando Puig de la Bellacasa, aseguro que «las autoridades españolas serán inflexibles con la delincuencia extranjera» añadiendo, no sin razón que «los primeros beneficiados de esta lucha son los extranjeros que viven y trabajan de una forma normal en España». Vale la pena recordar las declaraciones que dio a «El País» recién ascendido a número tres de Interior. Dijo por ejemplo, que la llegada de inmigrantes a España «es un fenómeno positivo, en términos de enriquecimiento social y cultural». Añadió luego que «en caso de que no consigamos controlarlo estaríamos dando una base para la explotación de esta mano de obra de forma abusiva y estaríamos creando un ambiente que favorecería la xenofobia». Identificó a las mafias como las grandes beneficiarias del conflicto. Y no estuvo muy afortunado cuando aludió a que «es un tópico que España sea la frontera sur de Europa en cuanto a inmigración. España tiene menor presión migratoria del sur que muchos países del norte de Europa» (hoy España es el pais de la UE con mayor presión migratoria). O, para tranquilizar a la opinión pública explicó, con una seriedad pasmosa que «desde el verano pasado las embarcaciones detectadas han sido menos», atribuyendo dicho descenso al «esfuerzo» de las autoridades marroquíes. Más lúcido estuvo cuando declaró al finalizar la entrevista que «otro tópico es que los flujos migratorios son incontrolables y que están relacionados con el hambre».

Esa tendencia a tranquilizar a la opinión pública ha sido una constante en los últimos 11 años. El 28 de octubre de 1992, el ministro marroquí de Exteriores, Ratig Haddaui, dijo que la colaboración hispano-marroquí para controlar la inmigración ilegal «empieza a dar sus frutos», tras ser recibido por el Defensor del Pueblo, Álvaro Gil Robles. El ministro marroquí se mostró satisfecho por «todo lo que hace el Gobierno español», añadió que la situación de los marroquíes en España «mejora día a día» y anunció que «las cosas van a mejorar mucho más en las próximas semanas». Algo ha pasado para que once años después, la situación sea justamente la peor de todas las posibles.

Al PSOE se le puede reprochar que haya defendido siempre una postura laxa en relación a la inmigración (o «extremadamente generosa»), que habiendo previsto la oleada que se venía encima cometiera el error histórico de aprobar una Ley de Extranjería todavía más laxa que desencadenó el «efecto llamada». Por su parte, lo que puede reprocharse al PP es que los mismos equipos de Interior que han mostrado una eficacia absoluta en la lucha contra ETA, han sido absolutamente ineficaces en la contención de la inmigración ilegal. ¿Ineficacia o fracaso deliberado?

Falta de previsión de unos, fracaso de otros, lo cierto es que tanto PP como PSOE son los verdaderos responsables de la situación de descontrol que vive hoy la inmigración. No es raro que, tanto unos como otros hayan propuesto, con cierta frecuencia un «pacto por la inmigración».

El 13 de enero de 2003, Joan Herrera, portavoz de Iniciativa por Cataluña Verdes (ICV), instó al PSOE y a las formaciones políticas del Estado a «hacer frente común» ante las reformas del Gobierno en el ámbito de la inmigración y en otros frentes. No sin razón, Herrera opinaba que el Gobierno estaba utilizando la Constitución y el Código Penal como un instrumento electoral. Esto le llevó a proponer a todos los partidos algo mucho más discutible: un pacto para defender el actual Código Penal que incluya también el compromiso de «no conectar delincuencia e inmigración». Obsérvese bien: lo que Herrera planteaba era negar la evidencia y negar lo que los estudios especializados han demostrado. Maravillosa opción: penalizar la descripción de la realidad. Luego se pregunta la izquierda comunista francesa por qué parte de su electorado ha migrado hacia el Front National de Jean Marie Le Pen. En otro capítulo de este libro ya abundamos sobre la innegable relación –innegable para los que tienen ojos y ven, entendimiento y entienden– entre el aumento de la delincuencia y el aumento de la inmigración ilegal. Lo que Herrera proponía es que se penalizara lo que es un simple problema estadístico, o dicho de otra manera, asumir la política del avestruz.

Para ser eficaz, una labor de prevención de la delincuencia, debe diagnosticar exactamente cuál es la raíz del problema. Si se ignora o se impide investigar en alguna dirección, es imposible habilitar remedios adecuados. Hay que distinguir entre una acusación global, injusta y desproporcionada dirigida a toda la inmigración vinculándola con la delincuencia, que en rigor puede ser considerada racista y xenófoba, de criterios más mesurados, fundamentados en datos estadísticos y en opiniones autorizadas que, efectivamente, reconocen que, aun siendo los delincuentes una ínfima minoría entre los inmigrantes, un número excepcionalmente alto de delitos menores (y asesinatos en Madrid), están vinculados a sectores muy concretos de la inmigración.

Esta opinión de un representante de Iniciativa por Cataluña Verdes es, sin duda, anecdótica; en posiciones más mesuradas, los partidos mayoritarios comparten la necesidad de fraguar algún pacto sobre el tema de la inmigración.

En Canarias la inmigración reviste un carácter más dramático. En Lanzarote y Fuerteventura, las dos islas más próximas a las costas africanas, literalmente ya no caben más inmigrantes. No es raro que el «Pacto por la inmigración» haya alcanzado allí una mayor concreción que en el resto del Estado. Era un antiguo anhelo de los partidos mayoritarios, si es que querían serguir siendo mayoritarios.

El 23 de octubre de 2001 el consejero de Empleo y Asuntos Sociales de Canarias, Marcial Morales, reclamó que el Partido Popular y el Partido Socialista alcanzaran un pacto de Estado para solucionar los problemas generados por la inmigración y les reprochó cada día que pierden sin aunar sus fuerzas para ello. Por esas fechas, el gobierno autónomo canario empezaba a sentirse desbordado por la llegada masiva de pateras y por no disponer de servicios suficientes para acoger a los inmigrantes ilegales. Morales pidió un pacto para afrontar la repatriación de los inmigrantes, la regularización de su situación en España, y que circulen libremente por el territorio nacional. Probablemente no era esto lo que tendrían en la mente los partidos mayoritarios cuando hablaban de «pacto sobre la inmigración» que no pasaba de ser un acuerdo para evitar que el espinoso tema fuera utilizado como arma electoral por un partido contra otro, o por alguien exterior a ellos contra todos los demás. Además, en octubre de 2001, el tema de la inmigración era todavía tabú. Oficialmente, nadie lo reconocía como problema y se pensaba que la erupción de El Ejido era un episodio aislado.

De todas formas, la intervención de Morales constituía la primera vez en la que se aludía a la necesidad de un acuerdo sobre el tema. El consejero insistió en aquella ocasión, en que las soluciones precisan de un pacto de Estado y pidió que las organizaciones políticas mayoritarias se sitúen «por encima de sus luchas partidistas» y afronten la inmigración de forma «positiva y constructiva». El PP, en esos días no quiso oír hablar de «pacto»: ¿para qué pactar si Aznar había decidido que el problema no existía? ¿o, acaso, España no iba bien? Sin embargo, el tema tuvo cierto eco y tres meses después, el 30 de enero del 2002, los socialistas lo retomaron por boca del portavoz del Partido Socialista de Canarias en el Parlamento autonómico, José Alcaraz, quien acusó al Gobierno central de «tener abandonadas en el tema de la inmigración a las islas» y al Partido Popular regional de contribuir a que el problema crezca por «subordinar sus actuaciones a los intereses de Madrid». Acto seguido volvió a proponer el pacto, aun inaceptable para el PP: «Sorprende –explicó– que el PP no acepte algo que los ciudadanos ven con normalidad: que, ante un problema grave, los partidos políticos intentemos acercar posturas, nos pongamos de acuerdo, tomemos iniciativas conjuntas y, en definitiva, pactemos para solucionar conjuntamente los problemas, que es lo que esperan de nosotros en el fondo».

Nueve meses después el PP isleño cambiaba de posición. El 29 de octubre de 2002, los partidos políticos con representación en el Parlamento canario se comprometían a –atención al acuerdo– mantener la inmigración irregular «fuera de la lucha política partidista, dentro del espíritu de consenso y al margen de la confrontación electoral». Explicitaron igualmente que se comprometían a combatir cualquier manifestación de xenofobia, es decir, que cerrarían el paso a cualquier partido que denunciara la inmigración como problema.

Esos compromisos aparecían recogidos en el «Pacto Canario sobre Inmigración», que fue sido negociado discretamente a lo largo de 2002 por representantes de Coalición Canaria, Partido Socialista Canario-PSOE, Partido Popular y Agrupación Herreña Independiente. Según el documento, los partidos asumían el «deber ético» de afrontar la inmigración irregular «desde el respeto y la defensa de los derechos de las personas inmigrantes, especialmente en cuanto a víctimas de la desigual distribución de la riqueza en el mundo y del engaño a que son sometidas por organizaciones de contrabando y tráfico de inmigrantes».

¿Qué ocurría con el PP? Algo muy sencillo. En noviembre de 2002, el PP no había tenido que afrontar todavía la crisis del chapapote, la decepción que causó entre sus propios votantes y ante buena parte de la población española la actitud de Aznar ante la crisis de Irak. El PP se creía seguro en el poder e ignoraba que tres meses después, las estadísticas le iban a ser desfavorables. Todavía en noviembre de 2002 la idea con la que el PP seguía presentándose ante la opinión pública era que «España iba bien» y, si iba bien, no era necesario pacto de ningún tipo. Por lo demás, ¿para qué iba a pactar el PP si en el fondo estaba en el poder y no iba a utilizar el tema de la inmigración contra sí mismo y si el PSOE lo único que podría aportar, fiel a su lógica de izquierda progresista y humanista, era un matizado «papeles para todos»?, que generaba cada vez más rechazo en la sociedad española. Pero no hay que olvidar que, salvo el PP, los partidos mayoritarios canarios, firmaron el pacto y que el fondo de la cuestión de este pacto era silenciar la naturaleza del problema, evitar que un partido lo utilizara contra el otro.

El 8 de enero de 2003, seguían llegando noticias sobre la inmigración ilegal en Canarias. El presidente de Canarias, Román Rodríguez, trasladó al ministro Acebes la «enorme preocupación» de la sociedad canaria por la evolución del número de inmigrantes ilegales en el último año. Apuntó que las pateras estaban empezando a llegar a otras islas, además de a Lanzarote y Fuerteventura, lo que evidenciaba que «barcos de mayor envergadura podían estar contribuyendo al tráfico de personas». Rodríguez señaló que en el 2003 se «completaría la red de vigilancia integral de nuestras costas» y aunque no concretó de qué forma se iba a intensificar el Sistema Integral de Vigilancia Exterior (SIVE), dijo que se trataba de la puesta en marcha de «una serie de establecimientos fijos de detección a distancia, junto a más medios materiales y humanos». Explicó también que de los 10.000 inmigrantes que entraron en Canarias en el año 2002, se han repatriado más de 6.000, otros 2.000 se han redistribuido en otras comunidades autónomas y los restantes continúan en el archipiélago.

Si así estaban las cosas en Canarias, a nivel nacional no eran menos complejas. La historia del pacto que terminó formalizándose el 11 de septiembre de 2003 era larga y atribulada.

El 23 de febrero de 2001, Mayor Oreja y Rafael Caldera aplazaron las conversación sobre un pacto en materia de inmigración. La reunión era la consecuencia de la oferta lanzada por el entonces recientemente elegido secretario general del PSOE, Rodríguez Zapatero, cuando el partido debatía la necesidad o no de recurrir al Tribunal Constitucional el texto de la Ley de Extranjería que había entrado en vigor un mes antes. En esas fechas el problema del PSOE consistía en recuperar la iniciativa política a la vista del fracaso electoral en 2000 y cualquier camino era bueno para intentarlo. El PSOE no quería quedar al margen de un tema de Estado como la inmigración y había propuesto un consenso sobre la materia. El PP, por su parte, vivía los primeros meses de mayoría absoluta y se preguntaba para qué diablos precisaba un consenso con el PSOE si disponía de un rodillo parlamentario eficaz y amplio. A fin de obtener mayores apoyos para su propuesta, Zapatero llamó a la inclusión de la patronal y los sindicatos en el Pacto. En su infatigable actividad, el secretario de los socialistas explicó que el objetivo del pacto era velar por los derechos de los inmigrantes. Otros líderes del PSOE, como Consuelo Rumí, responsable para inmigración, aprovecharon la publicación de la encuesta del CIS que mostraba una clara tendencia a obtener una inmigración ordenada y canalizada, para lanzar puyas contra el PP. Cuando el 23 de marzo de 2001 apareció la encuesta del CIS que situaba como tercer problema de los españoles la inmigración, Zapatero, en uno de sus primeros giros copernicanos sobre la materia, declaró que «la opinión de la ciudadanía sobre inmigración es muy sensata y abierta».

Cuando todo esto estaba bullendo, el 7 de marzo de 2001, el Parlamento Vasco decidió, con el voto en contra del PP y la abstención del PSOE plantear un recurso de inconstitucionalidad contra la Ley de Extranjería. Ese mismo día, el Parlamento Catalán, se negaba a presentarlo sumando los votos del PP y CiU. Por su parte, Manuel Chaves dijo el 23 de marzo que un pacto por la inmigración es «la única solución para afrontar el día a día en zonas con inmigrantes porque, si no pactamos, podríamos encontrarnos con incidentes xenófobos o racistas, y eso es lo que tendremos que evitar». Aprovechó también para anunciar que Andalucía va a ser, dentro de diez años, «una sociedad plenamente multicultural, multiétnica y multirreligiosa», lo que consideró «un fenómeno positivo, enriquecedor y no exento de riesgos que tenemos que conspirar entre todos». Finalmente, el PSOE terminó recurriendo la Ley de Extranjería. En junio de 2001 la Ley estaba recurrida por las comunidades autónomas de Baleares, Aragón, País Vasco y Andalucía, los Parlamentos navarro y asturiano, los gobiernos de Extremadura y Castilla-La Mancha, y el PSOE. El gobierno ofreció entonces un pacto a cambio de que el PSOE se comprometiera a retirar todos esos recursos.

A la vista de la imposibilidad de lograr un consenso, Maragall, líder de los socialistas catalanes, propuso el 28 de junio de 2002, un mero pacto de silencio a CiU. Maragall, hombre dado a las grandes palabras y los conceptos fastuosos llamó a esto «Gran Pacto Catalán sobre Inmigración», la versión catalana del pacto de silencio canario. El portavoz del grupo parlamentario del PSC, Joaquín Nadal reiteró que este «gran acuerdo» serviría para «avanzar en la línea de que no se puede jugar [con el fenómeno de la inmigración], que se tiene que hablar poco y actuar mucho y que no se puede hacer un uso partidista de esta cuestión». Pero cuando Maragall decía estas palabras estaba claro en Catalunya que existía cierta inquietud por la cuestión de la inmigración masiva e ilegal. Heribert Barrera acababa de formular una declaraciones que, en rigor, podían calificarse de lindantes con la xenofobia y el racismo. Barrera fue desautorizado por su propio partido, ERC, que se vio obligado a proponer un «gran pacto social sobre inmigración que permita la adopción de políticas integrales en todos los ámbitos que culmine en una ley catalana de integración en una sociedad de acogida». ERC se preocupó mucho de recuperar la línea «políticamente correcta» y atribuir a Barrera «opiniones exclusivamente personales». La esposa del presidente Pujol expresó el mismo orden de ideas que Barrera.

Los socialistas, como hemos visto, eran, desde luego, los más interesados en un «Pacto por la inmigración». Desde el 1 de septiembre de 2000 lo vienen proponiendo insistentemente. Ese año es el de los incidentes de El Ejido y, sobre todo el año en el que se percibe el gran aumento de la inmigración. El PSOE es consciente de que, en el fondo el sistema de partidos es reciente, pero que, en pocos años, se ha producido lo que, inicialmente, se llamó el «desencanto» y que ha terminado abarcando a toda la clase política. La aparición de una fuerza política que tomara como trampolín la oposición a la política de inmigración del PP, podría tener consecuencias nefastas, no solo para este partido, sino para el propio PSOE. Por lo demás, un parlamento en el cual las mayorías relativas solo pudieran gobernar mediante un pacto con grupos autonomistas sería muy diferente de un parlamento con presencia de diputados de extrema-derecha. Solo un «pacto por la inmigración» podría conjurar esta amenaza que pesa como una espada de Damocles sobre los partidos mayoritarios.

El pacto se firmó el 11 de septiembre. De él ya hemos dado cuenta en los primeros párrafos de la Introducción. En nuestra opinión no va a resolver ni remotamente la cuestión. Quizás más que pacto habría que hablar de «decisión» (consensuada o no) política y valor para resolver los retos planteados por la inmigración masiva.

VI
La inmigracion en la Unión Europea

La opinión pública de nuestro país solamente lo advierte en muy contadas ocasiones, pero lo cierto es que desde que España ingresó en la Unión Europea, los problemas de Europa, de todos y cada uno de sus países miembros, son también los problemas de nuestro país. La inmigración era un problema en Europa cuando España era solamente un país de tránsito para inmigrantes norteafricanos que terminaban afincándose en Francia o para pakistaníes cuyo destino final era Inglaterra.

Desde mediados de 1999, ese problema ha pasado a ser también patrimonio de nuestro país. De hecho en los tres últimos años la tasa de incremento de la inmigración ha sido en España superior a la de cualquier otro país europeo. Hemos tardado en incorporarnos a la categoría de país receptor de inmigrantes, pero cuando lo hemos hecho, las cifras han roto cualquier previsión. En España en apenas tres años se han alcanzado niveles que en Francia se tardó veinte, desde mediados de los sesenta a mediados de los ochenta, con la diferencia de que Francia tuvo un imperio colonial hasta mediados de los años 60 y existía una tradición de acogida de inmigrantes, mientras que cuando España perdió sus últimas colonias en América, el flujo de inmigración –los «indianos»– era de Este a Oeste. Por lo demás, ni Guinea, ni el Sahara tenían una densidad de población suficiente como para que la inmigración procedente de estas «provincias africanas» fuera perceptible. Y en cuando al protectorado de Marruecos (independiente desde 1954) aportó más inmigrantes a Francia que a España y estos, además, se localizaban particularmente en Ceuta y Melilla.

A partir del 1 de enero del 2004, la Unión Europea se va a ver afectada por la mayor ampliación de su historia. Es, a todas luces, una ampliación apresurada que hará inevitable la recuperación del concepto de «Europa de dos velocidades». Los países ex comunistas que se integran en la UE mantienen cierto atraso en sus estructuras económico-sociales. Algunos de estos países desde hace diez años están exportando masivamente inmigrantes. Polonia en primer lugar. La libre circulación de ciudadanos en el ámbito de la Unión hará que este tránsito se convierta en masivo, como mínimo mientras estos países no alcancen niveles de desarrollo similares a los del Oeste. Y es de prever que esto no ocurra antes de 7 años (si bien la libre circulación para los ciudadanos de estos países no será efectiva hasta 5 años después de su integración) de forma descendente, a medida que las ayudas estructurales de la UE vayan saneando las economías de los países del Este. Para colmo, en el horizonte se abre la posibilidad de la integración de Turquía, que trataremos más adelante.

Todo esto crea un panorama poco alentador: en Europa Occidental, meca de la inmigración, no caben todos los que desearían compartir nuestros estándares de vida. De hecho, es probable que 1200 millones de chinos prefiriesen vivir entre nosotros antes que en su país, o que 600 millones de africanos optaran por empezar una vida nueva en Europa dejando atrás hambrunas, guerras civiles, epidemias y dictaduras. Europa Occidental, por buena voluntad que tenga, no está en condiciones de albergar a todos los que en pleno uso de su libertad de decisión, tienen la intención de vivir entre nosotros.

Eurostat calcula que en el año 2001, 1.068.000 inmigrantes nuevos entraron en la Unión Europea. Tres años antes lo habían hecho justamente la mitad (581.000 personas). El mismo organismo privado declaró que España era el país de la UE con mayor flujo migratorio en el 2001. En efecto, la cuarta parte de los inmigrantes que llegaron a la UE, se asentaron en nuestro país. Italia y Alemania, con el 17%, y el Reino Unido, con el 15%, nos siguen en este ranking.

Estas cifras han hecho que la población europea haya crecido. Las bajas tasas de natalidad europeas se ven compensadas por este flujo. En el 2001 la población de la Unión Europea llegó a 379,4 millones de habitantes, aumentando un 3'9% en relación al año anterior. Pues bien, el 70% de ese incremento se debía a la inmigración. Las estadísticas son sorprendentes, pero difícilmente cuestionables. A decir verdad, algunas cifras resultan opacas. Otras están verosímilmente maquilladas. Y las hay incluso que están equivocadas. Pero, en realidad, esto es lo de menos, las cifras de hace un año ya no nos sirven: el flujo se desarrolla a tal velocidad que resulta incontrolable. De todas formas hay algún dato oficial que resulta significativo.

El año 2002, el Ministerio del Interior británico cifraba en un millón las personas que quieren cruzar cada año las fronteras de la UE. Se estima que 500.000 consiguen entrar anualmente, según el Centro Internacional para las Inmigraciones. Un parte de EFE estimaba que en el año 2000, en todo el marco de la Unión se emitieron 367.552 órdenes de expulsión y 87.628 inmigrantes abandonaron voluntariamente la UE. Luego cada año el incremento de la inmigración ilegal en toda la UE sería de algo más de 100.000 personas. Una cifra absolutamente increíble. Pero en ese mismo parte, EFE da la clave del asunto: «El tráfico de inmigrantes se está haciendo más rentable que el de drogas o armas. Según el Servicio Nacional de Inteligencia Criminal británico, se trata de un negocio floreciente por la creciente demanda, muy organizado tanto en métodos como en rutas, y que aporta ganancias superiores a los 12.000 millones de dólares anuales con muchos menos riesgos de terminar en prisión».

A esto habría que añadir otro dato: en los últimos años, los partidos políticos radicalmente opuestos a la inmigración han aumentado sus votos y su influencia en casi toda Europa. Resulta evidente que el crecimiento de estos partidos está en razón directa del aumento de la inmigración. No es raro que las cifras se falseen so pena de echar más leña al fuego en beneficio de estos partidos.

Digámoslo ya: es imposible conocer el incremento de inmigrantes ilegales en la Unión Europea, pero de lo que sí podemos estar seguros es de que están muy por encima de los 100.000 anuales (cifra baja incluso solo para España) y añadiendo un cero, seguramente estemos más cerca de la realidad (y multiplicando el resultado por dos seguramente nos acercaremos más).

Tras la victoria de Jean Marie Le Pen en las elecciones presidenciales de abril de 2002 en Francia, se destapó la caja de los truenos. La campaña de Le Pen se había desarrollado bajo el leitmotiv: «inseguridad ciudadana = inmigración ilegal». Esto le llevó a pasar a la segunda vuelta de las elecciones presidenciales. No es raro que la Cumbre de Sevilla de la UE que debía celebrarse dos meses después, situara el control de la inmigración ilegal como una de sus prioridades, a partir del 1 de enero de 2003.

Y se tomaron. El 28 de enero de 2003 se inició en Baleares la operación «Ulises», primera iniciativa de la UE contra la inmigración ilegal que debía ser el «germen» de la futura policía europea de fronteras. Patrulleras y corbetas de España, Reino Unido, Francia, Portugal e Italia participaron en la operación. Pero –como ya hemos recordado– en esa zona la inmigración en pateras es casi nula. Quienes entran ilegalmente en Baleares lo hacen por los aeropuertos o los ferrys, nunca en pateras. Digamos que el aterrizaje era bueno, pero los cerebros de la operación «Ulises» se habían equivocado de aeropuerto. Si se quería valorar la eficacia de la experiencia debía haberse hecho en el Mar de Alborán o en Gibraltar, no en una zona huérfana de pateras.

El 19 de diciembre del 2002 la UE emitió una directiva por la que, a partir de junio de 2003 se exigiría visado a los ecuatorianos que pretendieran entrar en la UE. Aznar, el hombre que se había manifestado en la cumbre de Sevilla como partidario de contener la inmigración, logró retrasar la aplicación de esta medida en España hasta el 1 de enero del 2003... Hay que preguntar a Aznar: los inmigrantes ecuatorianos que llegan a España ¿entran por algún aeropuerto europeo que no sea por Barajas? Difícilmente; retrasar la aplicación de la directiva en España hasta enero del 2004, representa retrasar su aplicación práctica en toda Europa. Por lo demás, el anuncio de esta medida hizo que entre enero y mayo entraran en España 250.000 ecuatorianos (la información procede del portavoz de la asociación de ecuatorianos Ruminahui, Raúl González). Una vez más, el gobierno español generó y estimuló de manera irresponsable (o interesada) el «efecto llamada». Si un cuarto de millón de ecuatorianos entraron en España en apenas cinco meses, ¿cuántos entrarán hasta que se les aplique la exigencia de visado?

La batería de medidas se iniciaba el 26 julio de 2002 los ministros del Interior de los países candidatos a entrar en la UE firmaron la «Declaración de Salzburgo», en la que acuerdan coordinar sus políticas contra la inmigración ilegal y las mafias organizadas. El 26 septiembre 2002, Bélgica, Francia y Gran Bretaña acuerdan crear controles comunes de inmigración en el puerto belga de Zeebrugge y en el tren bajo el Canal de la Mancha. El 3 de diciembre de 2002, la Comisión Europea dio a conocer que invertiría 934 millones de euros hasta 2006 en los países de origen de inmigrantes ilegales para atenuar el flujo; 350 millones de euros se destinarán a Bosnia, Albania, Croacia y Macedonia, 119,9 millones a Marruecos –el país al que la UE destinará más ayuda– además de Afganistán (60 millones), Somalia (51 millones), Ucrania (33,5 millones), Colombia (25,3 millones), China (10), Etiopía (6,5), etc. A partir del 29 de noviembre de 2002 se negociaron acuerdos de readmisión de inmigrantes ilegales con Turquía, Albania, Yugoslavia, Rusia, Túnez, Ucrania, Argelia y China; se recomendaron penas de ocho años de cárcel para los traficantes de inmigrantes. Ese mismo día se aprobó un presupuesto de 17 millones de euros para el regreso de 100.000 afganos que permanecían en la UE.

Antes de la Cumbre de Sevilla, el 23 de mayo de 2002, finalizaba la segunda Operación RIO (Risk Inmigration Operation) consistente en realizar controles conjuntos en 25 aeropuertos internacionales de la UE. Se impidió la entrada de 4.597 inmigrantes irregulares. España fue con 601 el segundo país de los veinte participantes que más personas interceptó, después de Francia que interceptó el doble... ¿Cifras prometedoras? Más bien ridículas, si tenemos en cuenta que aproximadamente el 90% de todo el pasaje de aviones de ciertos países sudamericanos (Ecuador, en concreto) son inmigrantes ilegales que aspiran a quedarse en nuestro país. Algo que se sabe desde que a finales de los años 80 hubo inflación de prostitutas dominicanas a través de Barajas. La primera fase de la operación RIO no pudo ser más brillante. Desarrollada entre el 2 y el 4 de abril de 2002, constituyó el primer ensayo real de coordinación de las policías de los Quince. La acción conjunta se saldó con la detención de 410 ilegales en quince aeropuertos de la UE. La cifra es ridícula si tenemos en cuenta que en un par de horas se puede detener esa misma cifra en la cola de extranjería del Gobierno Civil de Barcelona formada diariamente por varios cientos de inmigrantes entrados ilegalmente en España.

Las medidas no eran nuevas. Desde hacía dos años, la UE venía realizando tímidos intentos de afrontar el problema, más que nada para contentar a un electorado que cada vez más se adhería a las posiciones antiinmigracionistas de algunos partidos hasta entonces marginales. El 28 de julio de 2000, la UE celebró en Marsella, por primera vez, un debate sobre las perspectivas a largo plazo de la inmigración y sobre la posibilidad de coordinar sus políticas en la materia. El 5 abril de 2002, la Conferencia Ministerial del Grupo Europa-Asia (ASEM), celebrada en Canarias, acordó crear una red de vigilancia de la inmigración ilegal.

Una semana después, la Comisión Europea difundió el Libro Verde, «Una Política comunitaria de retorno de los residentes ilegales», que propone normas para la repatriación. Poco después, ese mismo mes, los ministros de Interior de la UE barajaron sanciones contra los países de donde hayan partido las embarcaciones, deberán readmitir a los ilegales que llegan a las costas de la UE. El acuerdo no tendrá continuación.

En el momento de escribir estas líneas no parece que todas estas medidas hayan demostrado su eficacia. Por que el flujo de inmigrantes ilegales, no se ha contenido. Antes bien, da la sensación de que el problema está completamente descontrolado y que, frente a su gravedad, todas estas medidas apenas son otra cosa que una política de paños calientes: es imposible saber las cifras exactas, pero basta leer las informaciones diarias sobre la llegada de pateras a las costas andaluzas (no ha descendido), para intuir que el problema sigue, más o menos, como antes.

Por lo demás, hay un problema mayor: la cuestión no es sólo cortar el flujo de inmigrantes, sino ¿de qué manera repatriar a los que se encuentran en situación ilegal? Y en este terreno no hay que caer en trampas estadísticas: ciertamente en la UE se decretaron en el año 2000, algo menos de 200.000 expulsiones, pero lo que la estadística no cuenta es cuántas de estas fueron efectivas. Por que, en el fondo, la expulsión no es más que un documento que se remite al interesado quien puede asumirlo o ignorarlo; no todas las expulsiones decretas son expulsiones reales.

En febrero de 2001, la «División de Población» de las NNUU emitió un informe en el que se afirmaba que el futuro de la economía y el bienestar de Europa depende de la inmigración. El informe era alarmista y a todas luces exagerado, ya nos hemos referido a él en la página 71. Se decía que en los próximos 50 años la población europea pasará de los 729 millones actuales a 628 millones. Solo la llegada de ¡159 millones de inmigrantes! Podrá garantizar la fuerza de trabajo y paliar el envejecimiento de la población. El informe afirmaba que la «hipótesis cero», es decir, el cierre de fronteras a la inmigración, haría caer la población de la UE de 372 millones de habitantes en 1995 a 311 millones en el 2050; solamente un mínimo de 79 millones de inmigrantes asegurarían el mantenimiento de las pensiones y la viabilidad de la industria. España, además, se convertiría en el país con la media de edad será la más elevada del mundo en el 2050. Se precisaría la entrada de 300.000 inmigrantes al año hasta el 2025, una cifra análoga en Italia, 500.000 en Alemania. Francia, necesitará «según los expertos», 23 millones de nuevos activos a un ritmo de 766.000 por año.

El documento terminaba asegurando que la inmigración es la única salida para paliar el drástico envejecimiento de la población europea. La relación entre activos e inactivos pasará de más de 4 por 1 en la actualidad a 2 por 1 en los próximos 50 años. Ya hemos comentado que existen muchas otras muchas medidas para evitar esta perspectiva y no vamos a insistir ahora. En una horquilla de tiempo de 50 años, pueden nacer dos generaciones. En lugar de abordar políticas lógicas de fomento de la natalidad en Europa y control de la natalidad en el Tercer Mundo, lo que se propone es el desarraigo de millones de habitantes. Pero la cuestión central es de qué manera Europa puede recuperar unas tasas demográficas aceptables. En la actualidad, la tasa de natalidad media en la UE es de 1'4 niños por mujer, que no garantizan la continuidad de la población europea, máxime si se tiene en cuenta que en esta cifra entran ya inmigrantes de segunda y tercera generación, étnicamente no europeos, pero administrativamente con todos los derechos. En 100 años los descendientes de los pueblos históricos del continente, corren el riesgo de convertirse en una especie en vías de extinción.

Europa es hoy una ciudadela sin murallas (o con un muro bajo, delgado y, en cualquier caso, muy vulnerable) rodeada por un campo. Dentro de la ciudadela se dispone de un aceptable nivel de vida. Fuera no. Es lógico que, desde toda la periferia de la UE, los ansiosos de acceder a los escaparates de consumo y al nivel de vida (económico, político y social) europeo, se lancen al asalto de la ciudadela. Desde los cuatro puntos cardinales, Europa es hoy el destino final de millones de seres humanos al que entran por unas fronteras absolutamente permeables.

Mafias rusas traen a inmigrantes de Sri Lanka y disputan con las tríadas chinas el contingente de ese país. Los chinos entran por Yugoslavia dado que no necesitan visado en ese país. Salen desde Tailandia, cruzan Laos o Birmania, donde las tríadas son fuertes. Por su parte, las mafias turcas importan masivamente kurdos y afganos. Los albaneses han creado redes que sitúan en la UE diariamente a cientos de kosovares, bosnios y a sus propios conciudadanos, a través de Grecia e Italia. Magrebíes y africanos vulneran las fronteras de la Unión a través del Estrecho y de Canarias. La frontera polaca y checa es también permeable a pesar del dispositivo de seguridad dotado de visores nocturnos. Por ahí pasan ciudadanos turcos ilegales y los supervivientes de las guerras balcánicas. Suramericanos entran en avión bajo la mirada indiferente e indulgente de los aduaneros de Bajaras y Ámsterdam.

¿Y los precios? Llegar desde China cuesta 24.000 euros que las tríadas adelantan a condición de que, llegados al país de destino, trabajen para ellos hasta saldar la deuda. Si logran situarse en India o Pakistán el precio baja hasta 12.000 euros. Viajar desde Rumania hasta el corazón de Europa cuesta 2.400 euros, un poco más del precio establecido por las mafias marroquíes para embarcar a los clandestinos en pateras… una fortuna para muchos.

En el momento de escribir estas líneas, el Ministerio del Interior italiano calcula que en torno a 300.000 chinos escondidos en Serbia esperan el momento para alcanzar la UE. Se trata del último «daño colateral» de los bombardeos de la OTAN sobre Yugoslavia en 1999 que contribuyó a estrechar lazos entre Pekín y Belgrado. Y, por lo demás, se trata de la venganza yugoslava ante el criminal episodio de los bombardeos.

En Francia estos inmigrantes, apiñados en camiones, penetran a través de Calais y del túnel del Canal de la Mancha, hacia Gran Bretaña. En junio de 2000 se produjo la tragedia de Dover que costó la vida a 58 chinos que murieron asfixiados. En enero de 2002 la empresa franco-británica Eurotunnel presentó en Lille una nueva demanda para que se clausurara el centro de refugiados de Sangatte (Francia) de donde partían los inmigrantes que intentaban cruzar el túnel. En la noche del 25 de diciembre de 2001, 500 ilegales acogidos en el centro intentaron huir al Reino Unido a pie a través de esa vía; 40 fueron detenidos. Eurotunnel gastó en 2001 ocho millones de euros para reforzar la seguridad en torno en los accesos al túnel. Se instaló una triple alambrada y 350 agentes privados custodiaron las instalaciones. El millar de afganos, kurdos e iraníes, refugiados en Sangatte, sólo tienen como objetivo introducirse en él y alcanzar Gran Bretaña. El centro fue objeto de una agria polémica entre Francia e Inglaterra: el ministro británico de Interior, David Blunkett, pidió el cierre del centro; París se negó alegando que Londres debería hacer «menos atractiva» su legislación de asilo. En el fondo, ambos gobiernos se negaban a adoptar una medida que pudiera vulnerar lo «políticamente correcto».

Francia es seguramente uno de los países de la UE en donde el problema de la inmigración reviste rasgos más explosivos. Las estadísticas oficiales hablan triunfalmente de un descenso del 9% en el número de extranjeros residentes en Francia. Error. Lo que ha ocurrido es que el número de inmigrantes nacionalizados franceses ha aumentado. En 1999, las cifras oficiales establecían en 3.325.000 los extranjeros en situación legal y más de 1.700.000 los naturalizados... Error. A esta cifra habría que añadir el número de extranjeros ilegales imposible de calcular, pero que sin duda ascienden entre 300 y 1.000.000 más. Sólo en el año 2000, 150.025 inmigrantes adquirieron la nacionalidad francesa, un 2% más en relación al año anterior. El 80% de las demandas de nacionalidad son aceptadas en Francia. El 60% de estos «franceses administrativos» son africanos (magrebíes un 48%). Las solicitudes de asilo en el 2001 se elevaron a 48.000, lo que supone un 23% de incremento respecto al 2000, año en que se había registrado una subida del 17% frente a 1999. Buena parte de las legalizaciones se basan en la política de asilo del gobierno francés. Según EFE, los «expertos estiman que las redes de inmigración ilegal abusan de la política de asilo y de ciertas debilidades del sistema de expulsión». Entre junio de 1997 y diciembre de 1998 se legalizó la situación de 80.000 de los 143.000 inmigrantes que lo solicitaron.

Lo dramático no es sólo esto. En estos momentos en Francia existen 1200 zonas de «non droit», barrios periféricos y marginales en donde resulta imposible aplicar la legislación francesa, zonas completamente controladas por bandas de delincuentes y en la que los «sauvajeots» dictan su ley. En estas zonas no existe escuela pública en condiciones de realizar su labor. Tanto lo que se ha dado en llamar «sauvajeots» como las zonas de «non droit» están pobladas mayoritariamente por inmigrantes legales o ilegales o por nacionalizados franceses de origen magrebí o bien por hijos de padres magrebíes nacionalizados franceses y, por tanto, franceses a su vez.

En Italia, la política del gobierno Berlusconi en materia de inmigración ha sido muy criticada por unos y por otros. El 4 de junio de 2002 el Congreso italiano aprobó la ley «Fini-Bossi», denunciada por la izquierda como «racista e inconstitucional». Sólo podrán entrar en Italia quienes lleguen con un contrato de trabajo y por el período de vigencia de éste, que será de un máximo de dos años. Si pierde el empleo antes de expirar el contrato, deberá repatriarse. Los expulsados que regresen pueden ser condenados hasta a 4 años de cárcel. La falsificación de documentos estará penada con entre uno y seis años de cárcel. El tráfico de inmigrantes se castigará con penas de entre 4 y 12 años de prisión. También se establece el fichado con huella de los inmigrantes y el empleo de la flota militar para frenar la inmigración ilegal. Se restringe la reagrupación familiar. La contrapartida es que 700.000 extranjeros ilegales fueron regularizados al encontrarse en Italia en el momento de aprobación de la ley. A estos hay que añadir los 200.000 regularizados en 1999 por el centroizquierda.

De enero a abril de 2002 más de 6.500 personas han llegado a las costas italianas, frente a los 20.143 del año anterior, según datos del Ministerio del Interior. De ahí que el gobierno declararase el estado de emergencia el 22 de marzo pasado y convocase a los embajadores italianos en los países de paso o procedencia de este éxodo humano para que impulsaran los acuerdos bilaterales de readmisión.

El aumento fue especialmente significativo en Sicilia, con 3.859 inmigrantes desde enero de 2002, frente a 491 de 2001, y Calabria, aunque disminuyó ligeramente en Apulia. Más de 2.000 de los 6.500 inmigrantes procedían de Sri Lanka, en travesías iniciadas en puertos de Egipto, Líbano y Siria, los nuevos países utilizados ahora por las redes de traficantes. Según el ministro italiano de Interior, Claudio Scajola, este aumento «excepcional» del flujo migratorio se ha acentuado tras los atentados del 11 de septiembre y la configuración de un escenario internacional «inestable». Para hacer frente a este fenómeno, el número de repatriaciones fue de 66.160 entre junio de 2001 a marzo de 2002 (un 35% más que en el mismo periodo del año anterior).

En la actualidad, los inmigrantes regulares son dos millones, el 4% de la población. Pero algunas fuentes independientes elevan esta cifra hasta el 7%. Si bien Italia ocupa el cuarto lugar en número de inmigrantes legales (después de Alemania, Francia y Gran Bretaña), le ocurre lo mismo que a España, en donde los nuevos ingresos son superiores a estos países. Las comunidades más numerosas son la magrebí (159.599), la albanesa (142.066), la rumana (68.929), la filipina (65.353) y la china (60.075). Se ignora la cifra de ilegales. Oficialmente se admitía la presencia de 341.928 en el año 2000, pero también aquí es seguro que las cifras reales superan con mucho este número.

Al Reino Unido llegan anualmente en torno a 70.000 inmigrantes según las cifras oficiales, pero otras fuentes inglesas hacen subir estas cifras tres veces más; 7.000 suelen ser devueltos a su país de origen. Polacos y checos forman la nueva emigración que se une a hindúes y pakistaníes. El 30 de mayo de 2002 el Gobierno británico anunció medidas para acelerar la deportación de ilegales.

El Gobierno británico planeaba utilizar buques de guerra para detectar las embarcaciones que transporten inmigrantes, y repatriar a los solicitantes de asilo en aviones de la Fuerza Aérea (RAF). A partir de 2002 los inmigrantes que aspiraban a nacionalizarse tendrán que pasar un examen de lengua inglesa y sobre temas de ciudadanía, además de jurar lealtad a la Corona. Se calcula que en Inglaterra, tienen lugar anualmente 10.000 matrimonios falsos en vistas a facilitar la legalización de inmigrantes. Pero el asilo político es el principal canal de acceso a la plenitud de derechos. En 2002 se presentaron 76.040 solicitudes de asilo político. Las multas de 2.000 dólares a empresas en cuyos camiones se pasen inmigrantes fueron reducidas, a pesar de que en ese período se registraron 7.000 casos. Pero todo este régimen excepcionalmente generoso no pudo evitar que el 15 de enero de 2002 se produjera un motín en el centro de Yarl's Wood, en Bedfordshire, el mayor de su tipo en Europa. El centro fue incendiado. Se ignora el número completo de inmigrantes legales e ilegales que en estos momentos viven en el Reino Unido.

En Alemania se aprobó, en marzo de 2002, una ley de inmigración, que provocó un choque entre los partidos mayoritarios. La ley, según EFE, «permitirá el acceso selectivo de mano de obra según las necesidades y requisitos del mercado alemán, siempre que no se hayan cubierto las plazas con nacionales o extranjeros ya residentes. A los nuevos inmigrantes se les exigirá un mayor esfuerzo de integración, como la participación obligatoria en cursos de lengua, cultura e historia alemanas».

En la actualidad existen casi 8 millones de extranjeros en Alemania (algo más de dos millones son turcos), el 10% del total de la población. En el 2000 entró en vigor la nueva Ley de Ciudadanía basada en el «ius solis» (derecho según el principio territorial) en detrimento del «ius sanguinis», vigente desde 1913; 4 millones de personas, se convirtieron automáticamente en alemanes y tendrán hasta los 23 años para escoger entre la ciudadanía de sus padres o la de su lugar de nacimiento. Las naturalizaciones pasaron de 100.000 a 143.000 en el último año.

También aquí se ignora el número de ilegales. Cifras oficiales establecen la cifra en un millón, pero probablemente sea superior y, en cualquier caso, siempre en aumento, procedente de Turquía y las zonas musulmanas de los Balcanes. Desde el punto de vista jurídico, los ilegales detenidos en la frontera alemana son expulsados de inmediato. Si se trata de un indocumentado, el proceso de expulsión se alarga notablemente; el procedimiento de identificación puede ser largo y puede recurrir el decreto de expulsión. La afluencia masiva de refugiados políticos procedentes de los territorios ex Yugoslavos y del Kurdistán ha hecho que se endurecieran los requisitos.

En noviembre de 2000 el Instituto de Estudios Económicos de Berlín, propuso que cada año se admitieran 250.000 inmigrantes más para evitar que en el 2030 Alemania hubiera perdido tres millones de habitantes. Las cifras siguen sin salir por que esa propuesta implicaba un aumento de 7.500.000 de habitantes, lo que, contando la alta tasa de natalidad de este colectivo, podía elevar la cifra hasta los 15.000.000… ¡para compensar una pérdida de población de 3.000.000!

Las cosas son sensiblemente diferentes en Austria. El 4 de junio de 2002 el Gobierno austriaco aprobó la nueva ley de extranjería que establecía que aquellos que al cabo de cuatro años no hayan aprendido la lengua perderán el derecho de residencia. El gobierno de derechas austriaco alcanzó en 2001 un record en el número de detenciones de ilegales: 48.659 personas procedentes de 138 países; 2.294 mafiosos fueron procesados por tráfico de inmigrantes. La mayoría procedían de Rumanía (8.515), Afganistán (7.665), Ucrania (5.390), Yugoslavia (3.517) e Irak (2.443). Austria mantiene la legislación más restrictiva en esta cuestión. Carintia, gobernada por Jörg Haider es, el land austriaco que más restricciones plantea. Legalmente en el año 2001 pudieron entrar 8.150 inmigrantes y el año anterior 8.500.

En los tres pequeños países del Benelux, la situación es similar. En Bélgica, oficialmente, existe un 2% de la población inmigrante, pero es seguro que las cifras reales sean tres veces superiores. En enero de 2000 una campaña regularizó a 75.000 ilegales que debieron acreditar sólo haber llegado al país en 1999. Ese año la inmigración creció un 60% en relación al año anterior. En Holanda la mitad del crecimiento demográfico actual depende de los inmigrantes. Los inmigrantes siguen unos cursos financiados por el gobierno, para adaptarlos a la vida y a las costumbres del país. Sin mucho éxito, por que el 60% no habla apenas el idioma, el 25% maneja un vocabulario justo para hacer las compras básicas; apenas el 15% tiene un nivel de conocimiento del idioma en condiciones de poder desempeñar un trabajo (los datos son de EFE). Se ignora el número total de inmigrantes ilegales. Finalmente, Luxemburgo, en algo más de dos generaciones, será un país con mayoría de habitantes de origen no europeo. En la actualidad el 70% de su crecimiento demográfico se debe a la inmigración.

En agosto de 2001, 340.000 extranjeros presentaron solicitudes para legalizar su situación en Grecia. En ese momento, el propio gobierno calculaba que la presencia de ilegales en el país era de entre 500 y 600.000, la mayoría albaneses y asiáticos. Grecia, como ayer lo fue España, es todavía un país de paso. Los turcos que entran se dirigen luego hacia Alemania, pero no hay garantías de que la situación siga así durante mucho tiempo.

En Dinamarca, el 31 de mayo de 2002 fue aprobada una ley

que endurecía los requisitos para obtener la nacionalidad danesa. Se ignora el número de inmigrantes residentes en el país. Se cree que deben oscilar entre el 5 y el 8% del total de población.

El número de extranjeros ahora residentes en Portugal es de 302.000 (44.000 caboverdianos, 35.000 brasileños, 20.000 ucranianos y 20.000 angoleños). También aquí se trata de cifras que hay que contemplar con cautela. ONGs portuguesas dan cifras tres veces superiores de ilegales.

En Suecia, entre 1995 y 2000 la inmigración registró un aumento notable. En enero de 2001, un 11'3% de la población sueca era de origen extranjero. Un año después, la inmigración creció un 17% en respecto al año anterior.

En la católica Irlanda el 50% del crecimiento demográfico se debe a la inmigración. Los inmigrantes tienen derecho a la reagrupación familiar. Las cifras tampoco cuadran: según EFE, oficialmente el país tiene un 0'6% de inmigrantes… pero la mitad del crecimiento demográfico irlandés depende de la inmigración. Lo que implica que, del 2% de tasa de fertilidad, el 0'6% de la población facilita el 1%, mientras que el 99'4% se distribuye el otro 1%...

Europa aceptó inicialmente el hecho de la inmigración sin grandes resistencias. En realidad, hasta mediados de los años 80, la inmigración no aparecía entre las preocupaciones de la población de ningún país europeo y mucho menos en España; salvo en los años 70, con la llegada de algunos miles de chilenos y argentinos, no se conocían los flujos migratorios masivos. Todo esto cambió en la segunda mitad de los años 90.

El fenómeno de la globalización hizo que los flujos ya existentes aumentaran y terminaran alcanzando a países hasta entonces resguardados del fenómeno. España, uno de ellos. Justo en esos países era en donde las leyes eran más permisivas y estaban más relajadas ante un problema que hasta ese momento no les afectaba. Bruscamente, en países como España, Italia, Grecia y Portugal, la inmigración en apenas cuatro años alcanzó cotas que otros países habían tardado veinte o treinta años en alcanzar.

Para colmo, fenómenos como las guerras balcánicas, la cuestión kurda, el conflicto de Oriente Medio, la interminable tragedia africana, la explosión demográfica en el Magreb, se unió a la convicción de muchos habitantes del Tercer Mundo que vieron en Europa el lugar donde tener acceso a los escaparates del consumo. La proliferación de antenas parabólicas en el Magreb contribuyó a esta sugestión colectiva y, unido a todo lo demás, conformó lo que se ha dado en llamar «efecto llamada», conjunción de muchos fenómenos de distinto origen.

En estos momentos (junio de 2003), da la sensación de que todo a esto ha ido demasiado lejos y se ha vuelto incontrolable. El debate sobre «inmigración y delincuencia» polarizó las elecciones francesas y un año después sigue en el candelero. Pero no es en Francia –como veremos en el capítulo siguiente– donde este debate se va a detener. Los atentados del 11 de septiembre en Washington y Nueva York, sea cual sea su origen y naturaleza, hicieron que aumentaran las reservas de la opinión pública occidental sobre el islamismo radical. El Islam es inseparable de los países árabes y de la inmigración a Europa. En muchos países europeos, en estos momentos, causa temor el pensar que de aquí a no muchos años puedan empezar a proliferar candidaturas islámicas en las elecciones municipales o generales que, inevitablemente obtendrán escaños. Incluso en algunas poblaciones, candidaturas islámicas podrían obtener la mayoría absoluta. ¿Qué harían entonces? ¿declararían la «sharia» en sus zonas? ¿se prohibiría el consumo de alcohol y de cerdo? ¿se admitiría la poligamia? Parece lejano por que, ciertamente, hay que distinguir entre el Islam fundamentalista y el Islam moderado. Pero no es menos cierto que en Francia, es decir, en la Unión Europea, el Consejo de Instituciones Islámicas, trabajosamente promocionado por el Ministro del Interior, Sarkozy, una vez formado, ha sido controlado con facilidad por los elementos más fundamentalistas.

Esto, y el hecho de que en Francia e Inglaterra, entre el 2010 y el 2015, el Islam pasará a ser la religión con más audiencia, no dejan de ser motivos de preocupación.

Esta preocupación ha sido encarnada por una docena de partidos populistas, nacionalistas y anti-inmigracionistas que avanzan con distinta fortuna por Europa. Partidos que han experimentado distinta fortuna electoral defienden programas antiinmigracionistas y cuentan con el apoyo creciente del electorado. Desde el Front National francés hasta la Alleanza Nazionale italiana, pasando por el Vlaams Block hasta el FPÖ austríaco, desde la Lista Fortyune, hasta el BNP inglés, el NPD alemán, pasando por la Democracia Nacional y la Plataforma por Catalunya en España o el Partido Nacional Renovador de Portugal hasta llegar al «National Demokraterna» sueco o a los populistas daneses, finlandeses y noruegos, lo que está claro es que hay un sentimiento antiinmigracionista en Europa que está en crecimiento constante y que expresa el sentir de una parte de la población.

Posibilidades de conflicto social, de conflicto político, de conflicto étnico, de conflicto sanitario, de conflicto religioso... tal es el impacto que ha traído, involuntariamente, la inmigración a Europa. Ha sido el «daño colateral». Y la cuestión es cómo evolucionará el conflicto en los próximos años. Por de pronto, lo importante es reconocer que el conflicto existe: que Europa no puede ser tierra de acogido para los millones de personas que desean huir de los infiernos en los que han nacido; que es preciso conservar con la mejor salud posible nuestra isla del bienestar; que los problemas de demografía en Europa tienen solución y esta solución no consiste en favorecer la importación de etnias de otras latitudes, sino de favorecer la natalidad entre los europeos; que Europa tiene la obligación de ayudar al Tercer Mundo, pero no la de traer al Tercer Mundo a Europa. Si se reconocen estas premisas se está en puertas de una solución.

El problema radica en que buena parte de la clase política

europea –tributaria de lo «políticamente correcto»– ni siquiera es capaz de reconocer que el problema existe.

VIII
Conflictos en cadena

La inseguridad ciudadana

Entramos en un tema especialmente vidrioso. Por que atribuir a la inmigración el aumento de la inseguridad ciudadana puede tener como consecuencia exacerbar el racismo y la xenofobia. Cuando se produjeron los incidentes de El Ejido en el año 2000, el detonante fueron tres asesinatos cometidos por dos súbditos magrebíes en menos de 10 diez días, tras un año de aumento continuado de la inseguridad ciudadana en aquella ciudad.

Contrariamente a lo que se tiene tendencia a pensar lo que pasó en El Ejido no fue un episodio aislado, pero sí el más dramático de una situación que desde entonces, viene repitiéndose con relativa frecuencia. Vean lo que ocurrió en Jumilla el 22 de julio de 2003: esta localidad vinícola venía sufriendo un clima de inseguridad nunca antes conocido; el 22 de julio los vecinos convocaron una manifestación ante el ayuntamiento. A pesar de que el permiso administrativo no llegó, a partir de las 22:30 los vecinos fueron concentrándose espontáneamente ante la sede del gobierno municipal. Una delegación se entrevistó con el alcalde socialista Francisco Abellán, y miembros del resto de fuerzas políticas. Pero los ánimos estaban demasiado crispados como para mantener un diálogo. Algunos de los manifestantes pidieron a gritos la expulsión de todos los inmigrantes sin papeles. «Nos están matando, nos están robando y no hacéis nada», recriminaron los vecinos al alcalde y al resto de concejales. Abellán intentó poner orden. Trató que los vecinos se organizaran y eligieran a un portavoz para entrevistarse con el delegado del Gobierno, pero fue inútil. Así que el alcalde y los concejales abandonaron el salón de plenos. No se registraron mayores incidentes y la concentración finalmente se disolvió. En los últimos meses los robos y las reyertas protagonizados por inmigrantes habían sido continuas. En mayo del 2003, un inmigrante murió en una pelea entre ecuatorianos y marroquíes. Jumilla –como antes El Ejido– no está acostumbrada a esta situación.

Guillaume Faye en *La colonisation de l'Europe* dice: «Estoy dispuesto a reconocer que la inmensa mayoría de inmigrantes vienen a Europa a trabajar, a condición de que se me reconozca que la mayor parte de delincuentes encarcelados son magrebíes. Estadísticas cantan». Faye ha puesto el dedo en la llaga: para buena parte de la población europea existe una relación directa entre inmigración ilegal e inseguridad ciudadana. Lo que permite afirmar esta relación son las pocas estadísticas, más o menos claras, que es posible consultar. No hay que atribuir al PP un particular encono en ocultar tales estadísticas, de hecho, en otros países tal ocultación está incluso reglamentada. En Francia, por ejemplo, está prohibido por ley realizar estadísticas atendiendo a los grupos étnicos.

El barómetro del CIS publicado el 1 de agosto de 2002, cuando media España estaba de vacaciones, generó una polémica que se prolongó durante todo el mes. El CIS reveló que el 60% de los españoles relacionaba inmigración con delincuencia y el 84% pensaba que la inmigración debe limitarse en nuestro país a aquellos que vengan con contrato de trabajo. El secretario de Estado de Relaciones con las Cortes, Jorge Fernández Díaz, presentó el estudio correspondiente a junio y que, a su juicio, mostraba que los españoles se empiezan a preocupar «seriamente» por este problema. Claro está que Fernández Díaz aprovechó para hacer propaganda del PP y afirmar que estas cifras avalaban la política del Gobierno en favor de la inmigración legal. Solamente el 11% de los encuestados rechazaban la relación inmigración-inseguridad.

En esa ocasión Fernández Díaz aprovechó, según costumbre, para cargar contra el PSOE del que recordó que su discurso no distingue entre la inmigración legal y la ilegal. De poco importaba que Zapatero y el PSOE en esos mismos días iniciaran su «giro copernicano» en la materia y desandaran lo andado desde la última Ley de Extranjería.

Había en la encuesta otros datos significativos. Sólo un 9% considera que no debería haber obstáculo legal a la entrada de inmigrantes, cuando hace un año el 13% reclamaba «papeles para todos». El 54% consideraba que eran «demasiados» los extranjeros que vivían en España, frente a un 42% el año anterior. El 35% afirmaba que eran «bastantes pero no demasiados» y sólo al 4% le parecían pocos. No obstante, el 51% estimaba que en España se necesitaban trabajadores inmigrantes, frente al 37% que no lo considera necesario. El 40% pensaba que la inmigración es positiva, pero el 29% la consideraba negativa. El 83% consideraba que el gobierno debía adoptar las mismas medidas para todos los inmigrantes independientemente de su origen, y el 12% pedía una discriminación positiva a favor de los iberoamericanos. El 28% afirmaba que los inmigrantes debían integrarse, es decir, renunciar a sus costumbres; para el 67% debían aprender nuestra lengua y costumbres y compatibilizarlas con las suyas propias.

La opinión pública se forja su criterio mediante el influjo de los medios de comunicación en temas generales y que no está a su alcance conocer; pero en otros que le afectan directamente, la percepción que ella misma se forma a través de conversaciones con vecinos, familiares, de experiencias personales, etc. no puede ser reemplazada por mensaje informativo alguno si va en sentido contrario. A partir del primer trimestre del 2002 era evidente que la población percibía que la delincuencia había aumentado en la mayor parte de ciudades de España y que un sector muy significativo de esta delincuencia estaba protagonizada por extranjeros. Algo debía de saber la ciudadanía porque era ella quien sufría la delincuencia.

En septiembre de 2002, Aznar se vio forzado a tomar medidas contra la «pequeña delincuencia». Esta pequeña delincuencia estaba siendo copada progresivamente por inmigrantes ilegales. Pero, luego estaba la «gran delincuencia» que igualmente con una frecuencia progresiva aparecía en las primeras páginas de los diarios: asesinatos, ajustes de cuentas, crímenes truculentos, también tenían como protagonistas cada vez con más frecuencia a ilegales. Y quedaba finalmente las agresiones domésticas. ¿O es que alguien piensa que bruscamente al sociedad española ha enloquecido y ha pasado a agredir sistemáticamente a las amas de hogar como no lo había hecho nunca antes? Tampoco aquí existen estadísticas, pero basta hablar con responsables de urgencias y asistentes sociales para advertir que una parte sustancial de las agresiones domésticas están relacionadas directamente con la entrada masiva de inmigrantes. Y, en el fondo, no es de extrañar, pues no en vano la mayor parte de la inmigración procede del Tercer Mundo en donde la mujer ocupa un papel secundario en todos los terrenos. Por no hablar de la ablación del clítoris una de las más odiosas prácticas socio-religiosas que haya podido alumbrar la perversión humana y que ha irrumpido en nuestro ámbito geográfico.

Pero, para algunos, unir delincuencia e inmigración constituye una opción xenófoba aun a despecho de las cifras de presos extranjeros en nuestras cárceles y a despecho de la observación de la realidad social. El 1 de junio de 2003, la directora del Centro de Estudios Criminológicos de la Universidad de La Laguna, Patricia Laurenzo, explicó que la vinculación que se ha hecho entre inmigración y delincuencia ha insensibilizado a la sociedad frente a los inmigrantes, a los que ésta percibe como un peligro.

Laurenzo, en una entrevista concedida a EFE, aunque reconoció que este fenómeno puede influir en los índices de inseguridad, subrayó que esta relación tiene muchos matices y no es ni directa ni lineal. Desgraciadamente no aclaró suficientemente sus palabras. Su discurso se hizo aún más confuso cuando agregó, que a su juicio las estadísticas se utilizan de forma perversa, pues toda la criminalidad cometida por extranjeros se convierte en criminalidad vinculada a la inmigración y esto en su opinión es radicalmente falso. Manifestó que es cierto que hay más extranjeros cumpliendo condena o en prisión preventiva que antes, pero, matizó, esto se debe a la globalización, pues «las fronteras también se abren para la actividad delictiva».

A finales de abril de 2003 se publicaron las cifras de la criminalidad referidas al año anterior. Según fuentes del Ministerio del Interior se registraron 2.148.469 actos delictivos, lo que representa un incremento del 8,7% respecto al año 2001. No obstante, un portavoz del Ministerio se apresuró a negar este dato y aportó como una respuesta escrita del Ejecutivo al diputado Victorino Mayoral.

Según la información oficial que el Gobierno ha facilitado al Parlamento, los actos delictivos cometidos en 2002 habrían crecido un 53,9% respecto a 2001 hasta alcanzar los 3.042.447 delitos y faltas. La asombrosa cifra no es sino la suma de los datos contenidos en dos respuestas por escrito del Gobierno al diputado del PSOE Victorino Mayoral, quien había solicitado conocer el número de delitos y faltas cometidos en el primer y segundo semestre de 2002 en los ámbitos de actuación del Cuerpo Nacional de Policía, Guardia Civil y Policía Autónoma Vasca. Sin embargo, el 31 de marzo de 2003, el Gobierno anunciaba que el incremento de las infracciones penales en 2002 había sido del 4,95%. La respuesta incluía una valoración tan subjetiva de la evolución de la criminalidad que el diputado socialista no dudó en expresar su protesta y solicitar el amparo de la presidencia de la Cámara.

El Ministro del Interior, Ángel Acebes, anunció con grandes muestras de satisfacción que los índices de delincuencia habían caído en el primer trimestre de 2003 un 1,59%, descenso que hubiera sido posible gracias al descenso de los delitos en un 7,28% que compensó el aumento de las faltas en un 4,44%.

La verdad es que el Ministerio no mintió al dar la cifra de 3.042.447 de delitos y faltas, los sacó de la Revista Estadística del propio Ministerio, datos sin aderezar de cara a la opinión pública y que dan como resultado el verídico y escalofriante aumento del 53'9% de la delincuencia en nuestro país; el 77'3% referida a extranjeros.

SOS Racismo Madrid tachó todo esto de «política de criminalización». En un comunicado emitido en aquellos días expuso su «preocupación por los datos publicados por el CIS, referentes a una percepción por la sociedad española de la inmigración como asociada a la delincuencia, por suponer una falsedad objetiva y una consecuencia de toda una política de criminalización del inmigrante realizada por el gobierno y determinadas autoridades públicas». Y más adelante proseguían: «Veníamos denunciando desde hace meses esta política de criminalización, con declaraciones públicas irresponsables que falseaban y manipulaban datos, señalando las consecuencias sociales que podía producir, y por desgracia estos datos vienen a confirmar nuestros peores pronósticos. En este sentido, no podemos admitir que un gobierno que constantemente machaca al inmigrante, imposibilitando su regularización y fomentando la inmigración irregular, como el actual español, no tome medidas para impedir estas muestras de xenofobia y utilice políticamente datos como éstos y otros manipulados. Se habla, incluso, en estos datos de que para los españoles hay demasiados inmigrantes, cuando tenemos una de las tasas de extranjeros más baja de Europa, reflejando un discurso de «invasión» que nos llevan vendiendo hace meses».

El 10 de noviembre de 2002, el Grupo de Estudios Estratégicos, una asociación sin ánimo de lucro, privada e independiente, dedicada al estudio y análisis de la seguridad internacional y de la defensa, emitía un dossier sobre inmigración y delincuencia. El GES se preguntaba si la asimilación que la opinión pública realiza entre inmigración y delincuencia es cierta o no: «En concreto nos plantearemos si efectivamente se da una correlación entre inmigración y delincuencia hoy en España, si se da o se ha dado también en otros países y qué explicaciones pueden darse de la misma (…). La pregunta verdaderamente interesante es si el porcentaje de delincuentes en la población inmigrada es mayor o menor que en la autóctona».

Para responder a esa pregunta era preciso establecer la cifra de la población inmigrada. Y aquí residía la primera dificultad por que el GES se fiaba de las más que improbables cifras oficiales: «De 1991 a 2000 el número total de residentes extranjeros ha pasado de menos de 400.000 a casi 900.000, lo que supone una tasa media anual de incremento del 10 %. Como es sabido, se ha producido también en estos años una importante entrada de inmigrantes irregulares. Su número es obviamente imposible de precisar, pero podemos tomar como cifra aproximada de los mismos las casi 245.000 peticiones de regularización que se produjeron en el año 2000, lo que nos daría un total de algo más de 1.100.000 residentes extranjeros, un porcentaje que no alcanza el 3 % de la población total y resulta bajo en comparación con lo que ocurre en otros países de nuestro entorno, como Francia, Alemania o el Reino Unido». Por nuestra parte, nos limitaremos a dudar de que estas cifras representen la situación real, ahora bien, aceptándola, bastará con ponerla en relación con la cifra de detenciones de extranjeros por presunta infracción penal. Pero hay otro obstáculo: el GES ignoraba las detenciones realizadas por las policías autonómicas y locales. Aún así la conclusión era incuestionable: «el número de detenidos extranjeros casi se ha triplicado entre los años 1992 y 2000, lo que implica una tasa media de incremento anual del 12%, levemente superior a la tasa de incremento de los residentes regulares extranjeros».

A continuación el GES planteaba si existía o no alguna comunidad nacional de inmigrantes que tuviera, en términos comparativos, unas tasas más altas de delincuencia que las demás. Para ello era preciso comparar las cifras de detenidos por nacionalidad con el número de inmigrantes de esa nacionalidad. Dificultad: la imposibilidad de evaluar el número de residentes irregulares. A despecho de este problema que, indudablemente, alteraría las cifras, la conclusión es que: «La tasa de delincuencia de los residentes extranjeros es de 35 por mil (35 detenciones por mil habitantes), es decir tres veces superior a la de los ciudadanos españoles. Los ciudadanos de los demás países de la Unión Europea presentan la tasa más baja, 20 por mil, mientras que para el resto del mundo se eleva al 41 por mil». Argelinos y colombianos tienen unas tasas de criminalidad superiores a marroquíes y ecuatorianos, a pesar de ser países vecinos. En el caso colombiano: «cabe esperar una presencia anormalmente elevada de delincuentes profesionales, debido a la importancia del tráfico de cocaína entre Colombia y España. Sin embargo no cabe excluir la influencia de factores más complejos de tipo cultural, ya que en diversos países se han observado diferencias significativas en las tasas de delincuencia de grupos étnicos cuyas condiciones sociales son similares».

En esta parte del estudio, el GES reconoce que: «A pesar del margen de error que indudablemente tienen nuestros datos, las diferencias son tan grandes que resultaría difícil negar que efectivamente la población extranjera presenta en España una tasa de delincuencia mayor que la autóctona, muy especialmente en el caso de algunos grupos nacionales».

La cuestión siguiente a la que intenta responder el GES es: ¿estamos a nivel europea en este tipo de delincuencia? Respuesta: «los estudios más recientes realizados en Europa occidental muestran una relación inversa: en los últimos años los inmigrantes presentan una tasa de delincuencia mayor que la de los autóctonos (Barbagli 1998: 13-38) (…) en Alemania, a comienzos de los años noventa, el porcentaje de extranjeros entre los presuntos delincuentes detenidos era del 34 %, es decir cuatro veces mayor que el porcentaje de residentes extranjeros respecto a la población total (Albrecht 1997: 55). En Bélgica el porcentaje de extranjeros en la población penitenciaria pasó del 21 % en 1980 al 37 % en 1991 (Hebberecht 1997: 158). Y en Suiza, en 1993, eran extranjeros más de la mitad de los condenados por homicidio y por violación (Killias 1997: 384). Algunos criminólogos mantienen que estas cifras responden a prácticas policiales y judiciales que discriminan a los extranjeros, pero estudios realizados en diversos países restan credibilidad a dicha tesis (Killias 2001: 153-161). Puede darse en algunos casos cierto grado de discriminación, pero no como para explicar las elevadas tasas de los extranjeros en las estadísticas criminales de tantos países. En realidad Europa se enfrenta a un problema social grave, ya que la elevada tasa de delincuencia de las poblaciones inmigrantes responde a un fracaso de las políticas de integración». Parte de esta criminalidad se debe, no a la inmigración, sino al auge de la criminalidad transnacional. El GES, especifica con razón que «No se debe confundir al inmigrante en dificultades que cae en la delincuencia, con el criminal profesional que acude a otro país con un propósito delictivo premeditado». Lamentablemente el GES no aporta cifras que sitúen más concretamente el problema.

Puestas así las cosas, el GES se pregunta ¿por qué ocurre esto? Y presenta tres teorías explicativas.

1) Teoría del conflicto de culturas. Formulada por el sociólogo norteamericano Thorsten Sellin. Según esta teoría «pueden producirse conflictos cuando entran en contacto poblaciones cuyas respectivas culturas tienen un sistema distinto de valores y normas –por ejemplo cuando llegan a un país inmigrantes con valores culturales propios– de manera que algo que es aceptable en una es considerado delito en otra». Ejemplo: mutilación genital femenina. Otro ejemplo: la tasa de hurto que manifiestan los inmigrantes rumanos de etnia romaní. En efecto, su particular

sistema de valores, «no condena la apropiación de bienes pertenecientes a personas ajenas a su etnia», según explica el GES.

2) Teoría de la privación relativa. Su formulación se debe al belga Adolphe Quételet. Explica que «una persona puede verse empujada a la delincuencia por la frustración que le genera el contraste entre sus condiciones de vida y sus aspiraciones». La tasa de delincuencia, pues, no respondería pues a la pobreza en si misma, sino a las aspiraciones del individuo. Ejemplo: el inmigrante abandona su país de origen creyendo incorporarse a una sociedad que supone mucho más rica; bruscamente comprueba que su nivel de vida queda muy por debajo del habitual en el país donde se ha instalado. Corolario: «los inmigrantes de segunda generación, hijos de padres inmigrantes, presentan una tasa de delincuencia más alta que los de primera generación».

3) Teoría del control social. Formulada por Triver Hirschi en 1969. «Una persona está tanto menos expuesta a caer en la delincuencia cuanto más integrada se halla en su entorno, a través de un conjunto de valores compartidos que se transmiten en el seno de la familia, la escuela, el barrio y todo el tejido asociativo que en su conjunto conforma una comunidad». Cuando los inmigrantes se hallan menos identificados con los valores del país de acogida, esta teoría explica que sus tasas de delincuencia tienden a ser en general más elevadas; además explica las diferentes tasas que se dan entre diferentes grupos de inmigrantes.

Las conclusiones a las que llega el GES son:

1) La relación entre inmigración y delincuencia en España y en la Unión Europea no es un mito.

2) Las tasas de detención, son más altas en la población extranjera que en la autóctona, particularmente en el caso de los extranjeros que no son ciudadanos de la UE, y lo mismo podría decirse de las tasas de encarcelamiento.

3) Las diferencias son demasiado grandes para que puedan explicarse por una presunta discriminación, voluntaria o no, por parte de jueces y policías.

4) Pero tampoco puede achacarse a una presunta propensión innata al delito por parte de los extranjeros, como podría postular alguna teoría racista hoy desacreditada. Las teorías que mejor parecen explicar este fenómeno, las de la privación relativa y el control social, se emplean también habitualmente para explicar la tendencia a la delincuencia en el seno de la población autóctona.

5) La elevada tasa de delincuencia de los inmigrantes representa la manifestación de un grave problema social. España, como el conjunto de la UE, necesita inmigrantes, pero no consigue integrarlos. No estamos ante una cuestión puramente de Justicia e Interior, sino ante un desafío humano mucho más amplio: el de la integración.

Las palabras del novelista libanés y francés Amin Maalouf no dejan de pertenecer al capítulo de las buenas intenciones: «cuanto más perciba un inmigrado que se respeta su cultura de origen, más se abrirá a la cultura del país de acogida». Y en el mismo capítulo bienintencionado hay que situar la frase complementaria dirigida a los inmigrantes: «cuanto más os impregnéis de la cultura del país de acogida, tanto más podréis impregnarlo de la vuestra». El respeto a las culturas de origen debe tener sin embargo ciertos límites: el que marcan los derechos humanos, que constituyen el principio más elevado de nuestro ordenamiento político y jurídico. No hay tradición cultural que pueda invocarse para violaciones de los derechos humanos como la mutilación genital, el matrimonio no consentido, la poligamia o la mendicidad, por poner sólo algunos ejemplos.

Las estadísticas del miedo

Hasta el mes de septiembre de 2002, el gobierno había evitado relacionar el aumento de los índices de delincuencia con el aumento de la inmigración. No sólo eso, sino que, por aquello de que «España va bien», se había negado incluso a admitir que la delincuencia estuviera aumentando. Pero la calle tenía otra percepción y, por lo demás, Aznar es consciente de que hasta ahora una de los logros del PP es carecer de enemigos a su derecha. La inmigración y la inseguridad ciudadana son temas excesivamente golosos para que el PP los dejara huérfanos y susceptibles de ser recuperados por émulos de Le Pen, Haider y demás. Fue así como en septiembre de 2002, Aznar hizo pública su batería de medidas para paliar el problema de la inseguridad ciudadana, problema del que, unos meses antes, el propio Aznar y Mariano Rajoy negaban su existencia. Este cambio de posición no era voluntario, sino forzado por la publicación de la encuesta del CIS sobre las preocupaciones de los españoles.

Los primeros síntomas de que la percepción de la opinión pública estaba cambiando se tuvieron en el mes de mayo cuando el barómetro del CIS revelaba que uno de cada tres españoles achacaba el avance de Le Pen, Fini, Haider, etc. a la inmigración. En efecto, el 34'5% de los encuestados señala que la inmigración es la primera causa del avance de la ultraderecha, mientras que el 23'1% opinaba que el ascenso de esas formaciones se debe a la desconfianza en los partidos tradicionales. El 12% opinaba que el electorado quería cambios y estas formaciones se los ofrecían. Ya en esa encuesta aparecían cifras extremadamente preocupantes para el gobierno: el 23,8% de los encuestados citaban la inseguridad ciudadana entre esos problemas y el 23,5% aludía a la inmigración. La encuesta se había realizado bajo el impacto del triunfo electoral de Le Pen en las presidenciales francesas, pero daba la sensación de que, por primera vez se había destapado la caja de los truenos y una parte de la población manifestaba públicamente sus miedos, aunque fueran políticamente incorrectos. Más de dos de cada tres españoles dijo conocer los resultados de los comicios franceses. Además, el 45,5% de los entrevistados aseguraba estar «poco» o «nada preocupado» por los resultados cosechados por el partido ultraderechista liderado por Le Pen, mientras que casi el 42% admitía que estaba «mucho» o «bastante preocupado». También se preguntó a los encuestados sobre la posibilidad de que en España pudiera surgir un partido de estas características, a lo que el 46% creía «poco o nada probable» frente al 27% que opinaba lo contrario.

Pero si así estaban las cosas a nivel nacional, en algunas ciudades las encuestas daban cifras todavía más preocupantes. La percepción de inseguridad en Barcelona había aumentado espectacularmente. En la encuesta trimestral realizada por el Ayuntamiento de la Ciudad Condal, se reflejaba que el 26,5% de los ciudadanos constataban la falta de seguridad en las calles y la delincuencia como los principales problemas que debían afrontar. La sensación de peligro ante la delincuencia volvía a dispararse creciendo un 5,5% respecto a el estudio anterior (la encuesta se había realizado mediante entrevistas telefónicas a una muestra de 800 barceloneses mayores de edad). En 1999 había aparecido por primera vez este problema en apenas un 4% de los barceloneses. El foco del conflicto se encontraba en Ciutat Vella y en los barrios limítrofes, Eixample y Sans-Montjuich. En Barcelona la inseguridad ciudadana no era un problema más, era «el problema», seguido a distancia por la preocupación por la circulación (18%), los problemas asociados a la inmigración (12,4%), el paro (5,9%) y las obras y el urbanismo (4,1%).

«Malditas estadísticas», debió pensar Aznar y los responsables de Interior cuando supieron que otra encuesta revelaba que en Cataluña solamente se denunciaban la mitad de los delitos cometidos. Esto explica por qué la población tiene la sensación de que los delitos aumentan, mientras que el gobierno afirma que disminuyen. Según la encuesta de 2002 sobre la seguridad pública en Cataluña, el problema que más preocupa a los catalanes (14%), seguida de la inmigración (12,2%) y el paro (11,3%). La cifra era todavía más significativa por que se trata de una respuesta espontánea de los entrevistados, no inducida por los encuestadores y además se había celebrado antes del marasmo de las elecciones francesas, entre enero y marzo de 2002, sobre una muestra de 18.679 personas. Era, además, el primer sondeo que realizaban conjuntamente el Departamento de Interior de la

Generalitat, el Ayuntamiento de Barcelona y la Mancomunidad de Municipios del Área Metropolitana, ya que hasta ese momento cada institución hacía su estudio. La cifra más reveladora de la situación era que sólo el 50,8% de los ciudadanos encuestados víctimas de un delito presentaron denuncia. La cifra era muy similar en la ciudad de Barcelona (50,3%) y algo superior en el área metropolitana (52,6%). Lo que implicaba que las cifras dadas por Interior sobre el número de delitos ¡había que multiplicarlas por dos!

La interpretación de esas cifras cuestionaba las estadísticas policiales: el hecho de que descendieran los delitos no implicaba que bajase la delincuencia. Si la inmensa mayoría de los delitos que se denuncian eran cuestiones menores, resultaba acertado pensar que los que no se denunciaban eran faltas. Así pues, si tenemos en cuenta uno de los documentos estadísticos más serios, la «Memoria de 2001 del Juez Decano de Barcelona» que situaba el hurto como delito más frecuente (104.029 diligencias), seguidos de los robos (63.166 diligencias), se tendrá que las cifras totales de delitos serán de 204.058 hurtos y 126.232 robos.

El 12,7% de los entrevistados en el conjunto de Cataluña declararon que habían sufrido algún delito. Los encuestados afirmaron sentirse menos seguros que hace un año, tanto en su barrio como en su ciudad. En una escala de ocho puntos sobre el nivel de seguridad hubo un descenso de 7,1 a 6,2 en el barrio y del 6,9 al 6 en la población. Igualmente significativa era la respuesta a la pregunta de cuál era el problema principal que afronta la sociedad catalana; el 14% afirma que la inseguridad ciudadana, el 12,2% indica la inmigración, seguían el paro (11,3%) y la falta de valores (8'9%). Interrogados sobre si preferían entre libertad y seguridad, el 53,2% eligió la primera opción y el 46,8% la segunda.

Pocos meses después, las encuestas daban cifras todavía más dramáticas para el gobierno. En septiembre de 2002, el 44% de los españoles apoyaría a un partido que limitara el exceso de inmigrantes. La inmigración había dejado de ser un problema ajeno a los españoles para pasar a ser la cuarta preocupación, por delante incluso de las drogas, que tradicionalmente ocupaban en las estadísticas un lugar preferente entre los problemas más importantes para los españoles. Más de un 90% consideraba que la llegada de ciudadanos de países de fuera de la Unión Europea era un problema en mayor o menor medida. Y lo que era peor, casi la mitad de los encuestados –44,2%– apoyaría a un partido que luchase «contra el exceso de inmigración». Por edades, el 30,7% de los entrevistados de 18 a 24 años apoyaría a un partido político que estuviera en contra del exceso de inmigrantes; la cifra se elevaba al 53,7% entre los mayores de 55 años. Otra de las conclusiones que arroja la encuesta es que los españoles relacionaban mayoritariamente el aumento de la delincuencia con la inmigración. Así lo creía el 72,3% de los entrevistados. Por edades, las personas de entre 45 y 54 años tienen una mayor tendencia a asimilar inmigración y delincuencia, el 79,5%.

El mensaje de Aznar de «vamos a barrer las calles de esa delincuencia que amarga la vida a los ciudadanos» era la respuesta oportunista al aumento de la criminalidad en España. A principios de septiembre de 2002 se conocieron las cifras del aumento de la delincuencia. Para el Ministerio del Interior, apenas se trataba de un 10,4% que no debía ser considerado como preocupante. La fiscalía elevaba estas cifras hasta el 14%. Por su parte, la encuesta de Ipsos-Eco Consulting para ABC reflejaba que la inseguridad ciudadana se había convertido en el tercer problema de los españoles (31%), sólo por detrás del paro (71,3%) y del terrorismo (60,6%). Pero las cifras eran todavía más contundentes cuando los encuestadores preguntaban por el problema más grave de la Comunidad. Salvo en el País Vasco, por obvias razones, en la mayoría de Comunidades Autónomas la inseguridad se situaba en segundo lugar (31'6%). La inseguridad ciudadana tenía una repercusión más directa que el terrorismo, incluso en Madrid (ciudad que se ha visto afectada por sangrientos crímenes de ETA con demasiada frecuencia), en donde un 66% de los ciudadanos percibían el deterioro del orden público, por delante de los valencianos (un 57%) y de los catalanes y gallegos (52'5%). Y la percepción ciudadana no se equivocaba, por que precisamente en esas zonas era donde, según las estadísticas policiales, había aumentado más todo tipo de criminalidad. Y, por lo demás, el 12% de los encuestados afirmaba haber sido víctima de algún delito a lo largo del 2001.

En septiembre de 2002 todavía faltaban tres meses para que el gobierno quedara empantanado por el chapapote y cuatro para que la opinión pública empezara a movilizarse masivamente contra la invasión norteamericana de Irak, es decir, contra la política exterior del PP y contra su alineamiento inexplicado e inexplicable en el furgón de cola del tándem Bush-Blair. Entonces se esperaba una disminución del voto popular. La sangría procedía precisamente de la negligencia en abordar la cuestión de la inseguridad ciudadana. Aznar, seguro de sí mismo y de que sus ases eran aún muchos, decidió «barrer España de delincuentes». Si lo que le preocupaba a la opinión pública era la inseguridad ciudadana, con cuatro plumazos él, Aznar, iba a solucionar el problema. Y así llegamos a una de las muestras más tristes de oportunismo parlamentario de los últimos años, sin duda superado por las limosnas concedidas a Galicia tras la crisis del Prestige y por la reforma de la legislación de «trabajadores autónomos» para paliar el hundimiento de la imagen pública del PP a raíz del seguidismo hacia Bush.

Mariano Rajoy, entonces Ministro de la Presidencia, flanqueado por los titulares de Justicia e Interior, Michavila y Acebes, fueron los encargados de presentar a bombo y platillo el Plan de Lucha contra la Delincuencia anticipado por Aznar en el anterior Debate sobre el estado de la Nación. El plan se basaba en tres ejes: la revisión de leyes, mayor eficacia policial y aumento de efectivos policiales y de la magistratura. Un plan ambicioso, mucho más desde luego que la dotación presupuestaria para llevarlo a cabo: apenas 500 millones de euros. El plan se basaba en la aplicación de las siguientes medidas:

– Juicios rápidos, con un plazo máximo de 15 días, para delitos de especial reincidencia como robos y violencia doméstica.

– Reforma de la prisión provisional para evitar que el detenido se sustraiga a la acción de la Justicia o que vuelva a cometer el delito.

– Reforma del Código Penal, que endurecerán los requisitos para lograr el tercer grado y aumentará la duración de las penas de alejamiento.

– Puesta en práctica de la orden de detención europea.

– Desarrollo de la Ley de Responsabilidad Penal del Menor que ponga especial atención en la reinserción.

– Reforma de la Ley de Extranjería.

– Potenciación y mejora del trato dado a las víctimas del delito, con especial hincapié en las de violencia doméstica.

– Ampliación de plazas de jueces y fiscales (70).

Para poner en marcha este plan, Interior puso en marcha siete programas operativos:

– Desde ahora y hasta el año 2004, patrullarán las calles 12.825 policías nacionales y 7.175 agentes de la Guardia Civil.

– Se reforzará la seguridad en los barrios, en lugares turísticos y en zonas comerciales.

– Especial atención a las nuevas formas de delincuencia.

– Se potenciará el contacto permanente de las Fuerzas de Seguridad del Estado con el público.

– La Policía y la Guardia Civil estará mejor formada y más especializada. Se crearán equipos multidisciplinares de apoyo que se trasladarán a los puntos más conflictivos.

– Se firmará un convenio de colaboración con la Policía Local.

– Se intensificará la cooperación internacional.

El mensaje iba dirigido a grupos sociales concretos con fines electorales. Desde hacía tres años la violencia doméstica preocupaba, pero sólo cuando empezaba a ser necesario un refuerzo electoral se tomaron medidas que podían haberse tomado cinco años antes. En segundo lugar se reconocía implícitamente que la opinión pública percibía correctamente la situación: existía un nexo que vinculaba inmigración ilegal a inseguridad ciudadana. La batería de reformas era buena muestra de ello. En tercer lugar, muchas de estas medidas no eran nuevas, algunas se habían intentado poner en marcha antes con el plan Policía 2000, de cuyo estrepitoso fracaso las crónicas apenas conservan un pálido recuerdo. Y, finalmente, algunas medidas no tenían en cuenta las disponibilidades presupuestarias, ni la imposibilidad de aplicarlas inmediatamente: no se forman jueces y fiscales con la velocidad con que crecen las habas; no se habilitan nuevas dotaciones policiales sin una previsión previa de gastos y sin la selección y formación correspondientes.

Los que peor aceptaron las medidas fueron los socialistas. Aznar se les había adelantado una vez más. El tema de la inseguridad ciudadana que, a partir de abril de 2002, valoraron como una de las ideas-fuerza de su programa, les había sido hurtado como por ensalmo.

Pocas horas después de que Rajoy, Acebes y Michavila explicaran sus iniciativas, el PSOE desencadenó una ofensiva. El PSOE hincó el diente en la intervención en el Congreso del presidente el 24 de abril, cuando afirmó con una seriedad pasmosa que la criminalidad había bajado en el primer trimestre del año (cuando en realidad subió un 6%), que habían crecido la plantillas policiales (cuando los nuevos agentes que debían suplir las bajas todavía no estaban incorporados a sus puestos). Y, por lo demás, el PSOE tenía cifras distintas a las que manejaba Aznar. Mientras que el presidente había afirmado que el 89% de los presos preventivos eran inmigrantes, el PSOE sostenía que se trataba de un 74%, casi 15 veces superior a la que sería normal.

En ese período el PSOE dio la sensación de que se había transformado en un partido de derechas, preocupado por la seguridad ciudadana e incluso realizó lo que algunos pudieron definir como «giro copernicano» ante la cuestión de la inmigración. Por que oportunistas, lo que se dice oportunistas, en los escaños los hay a cientos y a ambos lados del arco parlamentario. Y además, el cadáver político de Lionel Jospin estaba aún caliente.

En abril de 2002, después de que Aznar afirmase que la delincuencia había bajado, los socialistas quisieron hacer sangrar la herida. El portavoz Caldera preguntó a Rajoy: «¿Por qué no adopta el Gobierno medidas inmediatas y extraordinarias para combatir el constante incremento de la criminalidad?» y luego «¿Mantiene el Gobierno que la criminalidad ha descendido durante los tres primeros meses de 2002?», para terminar con un contundente «¿Cuál es el índice de delincuencia que prevé el Gobierno para 2002?». El secretario de organización socialista José Blanco se permitió hablar de la inmigración en unos términos que solo unos meses antes hubieran parecido inconcebibles: «Si hay inmigración ilegal incontenible –dijo– la responsabilidad es del Gobierno; si aumenta la criminalidad, es porque el Gobierno no cumple con su obligación de garantizar la seguridad»; luego añadió: «el Gobierno y el PP aprobaron en solitario una ley de inmigración para evitar el efecto llamada y lo que han conseguido es el efecto imán, de mafias y redes ilegales». Para compensar la ambigüedad sobre la cuestión de la inmigración, Consuelo Rumi, miembro del Comité Federal del PSOE realizó el exorcismo clásico, preguntando a Rajoy «sobre los planes para combatir el racismo y la xenofobia y su tratamiento público con respecto a la inmigración». Para Rumi, el problema era que la «actuación del Gobierno en inmigración ha sido un fiasco y alienta sentimientos en sectores ciudadanos que, de no ser disipados, podrían generar un recelo generalizado hacia el conjunto de los integrantes».

El presidente reconoció un aumento del número de delitos en España durante el pasado año, consideró «imprescindible» abordar el «número creciente» de delitos cometidos por extranjeros, aunque advirtió que «hacer un reproche generalizado a los inmigrantes» sería «equivocado e injusto», a pesar de la evidencia de que algunos extranjeros en situación ilegal «acumulan un número importante de delitos». Fue en el Debate sobre el estado de la Nación de 2002, cuando Aznar lanzó su órdago. Reconocería el aumento de la delincuencia y la relación del hecho con el aumento de la inmigración. En ese marco propondría las medidas que la opinión pública exigía. De hecho, Aznar ya había sacado pecho sobre el tema en la Cumbre de Sevilla, así que insistió sobre caminos ya trillados en aquella ocasión. Aseguró que es necesario «someter a estudio» el incremento de delitos cometidos por extranjeros, y anunció su voluntad de aprobar la expulsión de los inmigrantes ilegales que cometan delitos penados con menos de seis años, salvo decisión del juez. En penas mayores, la expulsión se produciría cuando se hayan cumplido las tres cuartas partes de la condena. Anunció además la convocatoria de 20.000 nuevas plazas de Policía Nacional y Guardia Civil dentro de un plan de choque contra la delincuencia.

«España es una sociedad abierta», dijo, recordando que, en los años de gobierno el PP, el número de inmigrantes legales casi se ha triplicado, cifras estas que no parecen correctas. No, la inmigración no ha aumentado tres veces desde 1996, sino un número desde luego muy superior. Eso sí, advirtió la capacidad de acogida de España es «limitada», y lo que debe hacerse es fomentar la legalidad en este colectivo. Según dijo, la solución del problema no pasa por nuevas regularizaciones, sino por endurecer las sanciones a las mafias y en una mejor regulación de los flujos migratorios, lo que no dejaba de ser una forma de arrojar balones fuera. Por que si todos estamos de acuerdo en la necesidad de perseguir a las mafias... ¿qué se hace con los inmigrantes ilegales que estas mafias llevan conduciendo a España masivamente desde 1999? ¿es posible ignorar que buena parte de los inmigrantes ilegales no vienen traídos por mafias sino por su simple voluntad de mejorar sus condiciones de vida? ¿y qué se hace con estos? ¿se les repatría? ¿se les regulariza?

Sin embargo en 2001 el número de repatriaciones era la mitad de lo que fue en el 2002. Tomemos una provincia particularmente poco conflictiva, Castellón. Las expulsiones de inmigrantes que cometieron algún hecho delictivo en Castellón aumentaron en un año justo al doble: 64 en el 2002, frente a los 32 del 2001. En el momento de escribir estas líneas no disponemos todavía de las cifras correspondientes al 2003, pero sin duda deberán ser muy superiores al 2002 a tenor de la reforma del Código Penal aprobada el pasado 17 de enero por el Consejo de Ministros, por la cual la regla general será la expulsión de España de todos los inmigrantes ilegales que cometan delitos menores. Respecto a los países de los que proceden los expulsados, Rumania, Marruecos, Argelia, Lituania y Colombia constituyen, según las mismas fuentes, los principales destinos. No obstante, la expulsión de los inmigrantes sin papeles delincuentes reincidentes que sean condenados a más de seis años de prisión será más problemática. Según fuentes del Ministerio de Justicia, en esos casos el juez sólo podrá expulsar a los inmigrantes que procedan de los países que han firmado convenios con Marruecos, Argelia y Nigeria, entre otros. El resto deberá cumplir la pena en España. Por otra parte, a los 64 repatriados castellonense hay que añadir los 120 expedientes de expulsión abiertos a inmigrantes en plazo de revisión.

Por el momento lo único cierto es que el Gobierno de José María Aznar ha fracasado en su política de seguridad. Desde 1996 a 2001, la criminalidad creció en España un 10%; la criminalidad violenta aumentó un 25% y la criminalidad rural se incrementó en un 42%. La tasa de homicidios en España es la más alta de toda la UE. Desde 1996 hay 6.000 policías menos en las calles españolas, están peor equipados, peor pagados y organizados y, en consecuencia, la desmoralización se extiende como una mancha de aceite. Fanático de la privatización de todo lo privatizable, Aznar y su equipo, tras el truculento asesinato de un abogado en La Moraleja, ante su familia, aconsejaron desvergonzadamente «el que quiera seguridad que la pague». El resultado fue que en 6 años, incluso edificios del Ministerio de la Defensa han pasado a ser custodiados por empresas de seguridad privada. Y no digamos aeropuertos, estaciones, redes de transportes públicos y urbanizaciones enteras. La seguridad privada se ha convertido en un gran negocio... del que los únicos que apenas se benefician son sus trabajadores cuyos sueldos se sitúan en la parte más baja de las tablas salariales. Ello no es óbice para que en España existan hoy 100.000 efectivos de seguridad privada frente a 46.000 policías nacionales.

¿Y las expulsiones? Ciertamente han crecido, pero también en este terreno no es oro todo lo que reluce. Hay que distinguir entre expedientes de expulsión aprobados y expulsiones efectivas realizadas. Y la cifra dista mucho de ser la misma.

A lo largo del 2001 un total de 44.841 inmigrantes fueron devueltos a su país de origen o expulsados cuando intentaban entrar ilegalmente en España, se encontraban irregularmente en el país o cometieron alguna de los supuestos que conlleva un expediente de expulsión. Este dato supuso un incremento del 20% respecto a la cifra registrada en el 2000, que ascendió a 35.476 personas.

Desde principios de 2001, con la puesta en vigor de la Ley de Extranjería, el número de expulsiones dictadas se duplicó en relación con el periodo de vigencia de la anterior Ley. El 2001 se incoaron 12.976 expedientes de expulsión, mientras que en el 2000, se dictaron 6.579. Se estaba lejos de los expedientes dictados en 1999, que alcanzaron la cifra de 20.103 inmigrantes. Ese año se expulsaron a 21.706 marroquíes, sobre un total de 22.984 repatriaciones. En cuanto a los inmigrantes detenidos cuando intentaban entrar en España de forma irregular, en 2001 se realizaron 22.984 devoluciones –cifra similar a las 22.716 del año 2000– básicamente de marroquíes (21.706). Sólo en el Estrecho y en Canarias el número de detenidos en pateras ascendió a 18.517 y fueron detectadas 1.060 embarcaciones.

Tras los cuatro procesos de regularización extraordinaria de extranjeros, se acogieron 428.924 personas; en esa fecha, oficialmente, España contaba con un 3% de población inmigrante (1.243.919), de los que 675.410 estaban afiliados a la Seguridad Social. De ellos, 102.595 son demandantes de empleo, lo que supone que un 15% se encontraba en paro. Se expidieron 358.616 tarjetas sanitarias y se escolarizaron a 133.684 extranjeros en los diferentes niveles de enseñanza. Dos años después, en el inicio del curso 2003, esa cifra se había elevado al doble...

El nivel educativo de los inmigrantes es bajo, sin embargo, más del 14% tiene estudios universitarios y otro 54% ha terminado la enseñanza secundaria, habitualmente estos porcentajes aluden a los jubilados de la UE o bien de ciudadanos del Este Europeo. Por lo demás, sólo uno de cada diez extranjeros de entre 15 y 19 años está escolarizado en bachillerato. La proporción es mayor entre los menores de esa edad. Los inmigrantes magrebíes y latinoamericanos tienden a escolarizar a sus hijos. A ellos se debe el aumento extraordinario de los alumnos matriculados en el curso 2003-2004.

El 15 de Noviembre de 2002 el gobierno filtraba la noticia de que 62.423 inmigrantes ilegales habían sido repatriados hasta el mes de noviembre, el doble que en 2000. Las mismas fuentes aseguraban que Interior se disponía a aumentar su presupuesto de expulsiones en un 186% para llegar a las 110.000 devoluciones anuales en 2003. Casi el 40% de los repatriados procedían de Europa del Este. Y, efectivamente, las cifras eran espectaculares en relación al año 2000 cuando la Administración emitía una media de 2.956 órdenes de repatriación, en su inmensa mayoría para marroquíes, pues este país era el único que entonces de manera regular readmitía a sus «clandestinos». Dos años después, la firma de convenios de inmigración con Rumanía, Ecuador, Colombia o Polonia hizo que las repatriaciones aumentaran. Durante el 2002 la media de expulsiones mensuales era de 6.242 personas, un 211% más que hacía tan sólo dos años.

Hasta octubre del 2002, se devolvieron a Marruecos 17.272 ciudadanos, es decir 1 de cada 3 repatriados. La segunda nacionalidad con más expulsiones ese año fue la rumana, el 25%, 12.730 personas. Los ecuatorianos constituyeron la tercera comunidad con más repatriaciones (3.334, más del 6%), le siguen los búlgaros (5,7%), nigerianos (2,7%), ucranianos (2,1%) y polacos (1,9%). Aproximadamente el 40% de irregulares expulsados en los primeros meses del año provenía de Europa oriental, 18.526 personas, oriundas de Rumania, Lituania, Ucrania, Polonia y Bulgaria. En los pasos fronterizos de La Junquera, Campodrón, Portbou, Canfranc, Les e Irún fueron interceptados 18.264 ciudadanos del Este de Europa, de los que 11.851 eran rumanos.

Pero hay dos datos que ennegrecen la brillantez de estas cifras. De un lado, la mayor parte de estos inmigrantes ilegales fueron detectados en las dos ocasiones en que se suspendió el acuerdo de libre circulación de personas por motivos de seguridad durante el semestre de presidencia española de la Unión Europea. De otro lado, los mandos policiales más optimistas calculaban que el número de expulsiones es cinco veces inferior al de ciudadanos que logran penetrar en España.

El 6 de marzo de 2003 se publicó la noticia de que las autoridades españolas habían expulsado en el curso del año 2002 a 12.159 inmigrantes irregulares, apenas el 30,3% de los 40.131 contra los que se abrió un expediente de repatriación. Estas cifras diferían extraordinariamente de las oficiales. En diciembre de 2002 el Ministerio de Interior, señaló que 74.467 personas en situación irregular fueron repatriadas a lo largo del año. Sin embargo El Pais y Europa Press afirmó que la suma de extranjeros rechazados, devueltos y expulsados eran casi la mitad, 38.132… y para confirmarlo citaban datos que la Comisaría General de Extranjería entregó a Cáritas. Según El País los otros 27.972 extranjeros (de los 40.131) que permanecen en territorio español recibieron de las autoridades una orden que les impide trabajar legalmente.

¿Racismo y xenofobia?

Las estadísticas deberían de suponer una satisfacción para los profesionales del antirracismo pues, no en vano, queda demostrado suficientemente que España no es un país que cuente con una opinión pública mayoritariamente xenófoba ni racista. Es más, a los españoles nos cabe el honor de figurar entre los más tolerantes de la Unión Europea hacia las minorías y los inmigrantes. En el informe publicado en marzo de 2001 por el Observatorio Europeo de Fenómenos Racistas y Xenófobos, sólo el 4% de los españoles se declara intolerante hacia otros grupos minoritarios, frente al 14% de la media comunitaria. Bélgica (con un 25%), Dinamarca (20%) y Grecia (27%) son los países donde una mayor parte de los ciudadanos se declara intolerante. En las antípodas está España (4%), Luxemburgo (8%) y Finlandia (8%).

Es más, el informe insiste en que en España existe «un nivel alto de aceptación de inmigrantes». El 77% de los españoles se declara tolerante, aunque el 61% asegura ser tolerante «pasivo» y sólo el 16% es tolerante «activo». El 25% de los europeos tiene una posición ambivalente, es decir, que tienen actitudes a la vez positivas y negativas frente a las minorías, pero en el caso de España son menos, el 18% de la población. Así pues, en España, por mucho que les pese a los profesionales del antirracismo a la búsqueda de subvenciones, nuestro país no tiene por qué acomplejarse de nada y mucho menos de pulsiones xenófobas.

Pero, entonces, ¿cómo encajar esta estadística con las ofrecidas anteriormente, en las que se demuestra a las claras que la población española percibe una relación íntima y directa entre delincuencia a inmigración ilegal? Ver la realidad tal cual es, implica sólo tener capacidad para describirla con objetividad y sin prejuicios de ningún tipo. Contrariamente a lo que opinan las asociaciones antirracistas, la grandeza de este país consiste en reconocer que, aun existiendo una delincuencia creciente protagonizada por inmigrantes ilegales, la xenofobia y el racismo están fuera de lugar. La parte puede puede tomarse por el todo.

No queremos terminar este capítulo sin mencionar un artículo publicado en el diario colombiano «El Espectador» en su edición de 22 de septiembre de 2002. Aquí no se trata de xenófobos y racistas que cargan contra la inmigración, sino de compatriotas que opinan sobre la «mala imagen» de la comunidad colombiana en España. Reproducimos buena parte de su contenido: «Pero de qué se quejan, si les estamos devolviendo lo que nos conquistó. Con Colón llegaron ladrones y vándalos... ¿O es que los que vinieron a llevarse el oro no eran lo peorcito de la sociedad española? La historia se repite y las cosas siempre vuelven a su lugar de origen», asegura John Dydier Ramírez, uno de los cerca de cuatrocientos colombianos que a diario hacen fila para pedir visado para España en el consulado español en Bogotá. Alguna estadística ha llegado a cuantificar la proporción de colombianos que quieren abandonar su país: un 46%; guerrilla, paramilitares, corrupción, delincuencia, narcotráfico, falta de perspectivas económicas, etc. son las causas de esta voluntad.

Los colombianos que viven en España aceptan las reservas de una parte de la opinión pública. Incluso lo explican: «En los últimos diez años ha llegado de todo: desde artistas, estudiantes y profesionales trabajadores, hasta ladrones y pillos que son los que han hecho despertar esa colombofobia que ronda en las calles españolas. La verdad es que Madrid es como cualquier ciudad de Colombia: tiene sicarios, ladrones, falsificadores y de todo», dice Javier López, un colombiano que obtuvo permiso de residencia en Madrid hace doce años. Y es comprensible el lamento del embajador de Colombia en España, Álvaro Vallejo: «Es injusto que 300 colombianos hayan logrado dañar la imagen de los 240.000 que hay en España y que son reconocidos como excelentes trabajadores». Nadie le discute al embajador que tenga razón. Pero ¿cómo lograr que millones de españoles no condenen a todo una comunidad?, sobre todo cuando los «secuestros expres», los asaltos a joyerías, el desmantelamiento de las viviendas privadas, los ajustes de cuentas entre narcotraficantes y el lavado de dólares están casi monopolizados por los colombianos, sin contar que la figura del sicario, específicamente colombiana.

En el 2001 hubo 96 muertes violentas en Madrid y 19 de ellas fueron de colombianos. En los años siguientes, delincuentes colombianos se han visto envueltos en ajustes de cuentas, secuestros, asesinatos contra españoles, ecuatorianos y colombianos, redes de tráfico de mujeres para esclavizarlas en la prostitución, falsificación de documentos y moneda, extorsiones y muertes al intentar asaltar viviendas. Solo en los 6 primeros meses de 2003, las muertes violentas en Madrid ascendía a 77 y mayoritariamente estaban vinculadas a temas de alguna manera relacionados con la inmigración ilegal. «Mire usted: ¿Cómo pretende que los españoles no desconfiemos de los colombianos, si son los que se matan a tiros en las calles y llenan de cocaína a España?», manifestó a un conocido diario nacional un airado vecino de Tres Cantos, población aledaña a Madrid.

En el último informe sobre delincuencia presentado por la policía española, la comunidad colombiana sale mal parada. En los diez primeros meses de 2002 denunciaron casi un millón de delitos. Más de la mitad de los detenidos fueron ciudadanos extranjeros y de ellos, el 48% son ciudadanos colombianos.

La policía detectó 209 grupos de delincuencia organizada. Sólo en Madrid hay 77, de los cuales, según las autoridades, 60 son conformados y dirigidos por colombianos. El más conocido de ellos es el «Cartel de Madrid», al que se le atribuyen varios atracos a joyerías y casas a las afueras de la ciudad.

El caso que hizo saltar las alarmas fue el del asesinato de Salvador Lorente, uno de los mejores inspectores de homicidios de Madrid. Un sicario colombiano, lo mató cuando éste fue a detenerlo por ser sospechoso de matar a un ecuatoriano de 19 puñaladas. Sólo en una semana, la policía española detuvo a 13 colombianos, integrantes de tres bandas distintas, acusados de dos asesinatos y otros tantos secuestros. Un delincuente más, el asesino del policía, cayó abatido por las balas de los agentes.

El 9 de febrero, de 2003, William Fernando Hernández, un colombiano de 39 años, fue asesinado a tiros por dos de sus compatriotas en la puerta de su casa. «Aquel –cuenta el policía que lo investigó– fue un crimen típico. Parecía que, en vez de en Madrid, estábamos en cualquier ciudad de Colombia. Los sicarios eran adolescentes, llegaron en una motocicleta y dispararon a su víctima con una pistola del calibre 22». A la siguiente semana –y reportando sólo lo que sucede en Madrid– otro colombiano murió degollado en su garaje. No sería el último. En los meses siguientes, dos más resultaron muertos de sendos tiros en la sien.

A mediados de mayo de 2003 tres sicarios fueron condenados a diez años de cárcel por el secuestro de una mujer y de su bebé recién nacido, a quienes retuvieron durante doce días mientras se resolvía un asunto relacionado con tráfico de droga. Fueron detenidos otros tres colombianos en el aeropuerto de Barajas por intentar entrar drogas y, además, otro colombiano resultó muerto por ajuste de cuentas.

Las cárceles al completo

El 2003, el Ministerio del Interior firmó acuerdos para la construcción de cuatro nuevas cárceles (Madrid, Castellón, Sevilla y Cádiz), a fin de descongestionar el sistema penitenciario que entonces sumaba 54.653 presos. Las 77 prisiones existentes sólo cuentan con 36.197 celdas, lo que nos situaría en un 150% de ocupación. Según las cifras oficiales el 22% de los penados son extranjeros.

La distribución es desigual. En la región valenciana el 50% de los presos de Fontcalent (prisión provincial de Valencia) son de origen extranjero y se organizan según su nacionalidad. El robo de pisos se ha convertido en el delito estrella. Los robos de viviendas cometidos por grupos mafiosos organizados se han convertido en la práctica habitual de los distintos clanes mafiosos que actúan en Levante. Las cifras de esta comunidad superan incluso a las de Madrid. Argelinos, rumanos, lituanos y yugoslavos han asumido esta especialidad delictiva. Los ladrones, aun a pesar de resultar detenidos con cierta frecuencia, no suelen ser acusados de robo sino sólo de receptación.

Cuando algún delincuente comete un delito grave, huye de una provincia a otra, o incluso regresa a su país como es el caso de un rumano que mató en Alicante a su compañera y retornó a su ciudad natal. Las bandas mafiosas han hecho que la delincuencia en toda la comunidad se endureciera. Abundan choques entre bandas, ajustes de cuentas y asesinatos por encargo.

En los últimos 5 años, la delincuencia extranjera se ha triplicado en Levante: los argelinos se han especializado en robos en el interior de pisos, robos de vehículos, uso de tarjetas de crédito falsificadas; los marroquíes dirigen el tráfico de haschís, delitos contra los derechos de los trabajadores, tráfico de inmigrantes y secuestros de compatriotas; los rumanos aparecen en prostitución, falsificación de tarjetas y robos. Los delincuentes rusos son diestros en la falsificación de pasaportes, el tráfico de inmigrantes, secuestros de compatriotas, robo de vehículos de lujo con manipulación de números de bastidor; los lituanos ejercen de ladrones con violencia en domicilios habitados y falsificación de moneda; los yugoslavos practican también el robo en domicilios; los albanokosovares ejercen el robo de oficinas, establecimientos y domicilios por el procedimiento del butrón; los polacos la prostitución; los checos la falsificación de tarjetas; los nigerianos el timo de los billetes tintados y la falsificación de tarjetas, los colombianos el narcotráfico y los atracos a joyerías.

El 28 de agosto, los teletipos informaban que con 55.000 reclusos, las prisiones de España han alcanzado un índice de ocupación superior al 100%. Todas las previsiones han sido desbordadas en apenas dos años. Solo en Cataluña se ha producido un aumento del 21%. El ministerio del Interior ha hecho todo lo posible por silenciar estas cifras. No ha habido comunicados oficiales y cuando la estadística ha salido a la superficie, han practicado la política de la avestruz y el autobombo, afirmando que el aumento de presos se debía a la «eficacia policial». También han intentado que pasara desapercibida la construcción de cuatro nuevas cárceles (en Madrid, Castellón, Sevilla y Cádiz).

Incluso la asociación progresista «Jueces para la Democracia» ha reconocido que el aumento de presos se debe al aumento de delitos. La asociación conservadora «Asociación Profesional de la Magistratura» reconoce que los nuevos presos son verdaderamente peligrosos y están encarcelados por delitos graves. Finalmente, Interior aludió a que los factores que han hecho aumentar el número de presos son, por este orden: juicios rápidos, mayor eficacia policial, tribunales ágiles y aparición de nuevos tipos de delitos... ¿No advierten nada raro? Ni los progresistas, ni los conservadores, ni el ministerio explican la verdad: no aluden al estudio del GES que hemos mencionado que vincula delincuencia e inmigración. El resto de causas son secundarias, sólo esta es la causa primera, negarlo en función de lo políticamente correcto como hacen los jueces progresistas, en función de cierta connivencia con el PP los conservadores y en función, finalmente, de los propios intereses de partido por parte de Interior, negarlo es negar la lógica aristotélica pura y simplemente.

La prostitución extranjera

La prostitución mueve en España 18.000 millones de euros y emplea a 300.000 personas, según la Asociación Nacional de Locales de Alterne. 18.000 millones de euros exentos de IVA. Otras cifras son sensiblemente más moderadas. Alfonso Pérez de la Comisaría General de Extranjería y Documentación, duda de que la cifra de prostitutas sea exacta: «si le digo que es el doble no me lo podrá negar»; de hecho la propia ANELA en otras ocasiones ha hablado de 350.000 prostitutas, y en otras ha rebajado el volumen de negocio a 12.000 millones de euros (¡dos billones de pesetas!). Suele decirse que después del tráfico de armas y de drogas, la prostitución es el negocio que globalmente mueve más dinero.

La «facturación» –si es que así puede llamarse– de una prostituta es de una media de 300 euros al día obtenidos con un promedio de siete «contactos», pero las hay que llegan a 15 e incluso más. Los «servicios» pueden costar de 20 a 60 euros hasta 1.200. ANELA afirma que cada día los españoles gastan 50 millones de euros en prostitución. Dos mil locales de alterne y un número imposible de determinar de pisos compiten con prostitutas callejeras que pululan por las grandes ciudades.

Pues bien, sean cuales sean las cifras, lo cierto es que de esas 300, 350.000 o más prostitutas, la mayoría son extranjeras. Saber en qué porcentaje –como todo lo que respecta a la inmigración– es completamente imposible. Cifras recabadas por la administración explican que apenas el 2% de las prostitutas son españolas. El resto –en proporciones siempre indefinidas– son oriundas de África, Asia y, especialmente, de Iberoamérica. De hecho, esta preponderancia de extranjeras ha impulsado a ANELA a solicitar en varias ocasiones que se incluya a la prostitución en el cupo anual para la admisión de extranjeros.

Todo esto resulta extremadamente preocupante y, por qué no decirlo, incómodo. Por que si el 98% de las 300.000 prostitutas que ejercen en España son extranjeras y las cifras oficiales hablan millón y medio de inmigrantes en nuestro país, o bien uno de cada cinco extranjeros se dedican a la prostitución (lo cual es manifiestamente falso), o bien la cifra de extranjeros es extremadamente superior a la valoración realizada por las autoridades. Algo debe saber ANELA –la patronal de los locales de alterne con una filiación del 10% sobre el total– sobre las necesidades de su sector y algo deben saber en la Comisaría de Extranjería cuando, lejos de negar las cifras de ANELA, dejan intuir que incluso puede ser superior. Así pues, a través de la prostitución quedan demolidas las cifras oficiales, máxime cuando buena parte de las chicas que trabajan en este sector son ilegales, siendo éste el único sector en el que es posible –con relativa seguridad– calcular el número de inmigrantes ilegales. Insistimos: no es de recibo pensar que uno de cada cinco inmigrantes en España se dedican a la prostitución. Es más: el número de prostitutas es una minoría en relación al número total de inmigrantes, lo que ocurre es que en este sector concreto las prostitutas constituyen, en este momento, una mayoría próxima a la totalidad.

Otras cifras igualmente poco argumentadas, explican que dos tercios de las prostitutas y no el 98%, serían extranjeras. La cosa no varía mucho; implica que en torno a 225.000 mujeres inmigrantes serían prostitutas, es decir, 1 de cada 6 inmigrantes, cifra, igualmente incompatible con el número oficial de inmigrantes en España y que eleva necesariamente su número.

Pero la prostitución revela, no sólo que las cifras oficiales de inmigrantes son inverosímiles, sino la implantación de las mafias extranjeras. En realidad, desde que la prostitución ha alcanzado el nivel de fenómeno de masas, todo le ha rodeado un ambiente de sordidez que contrasta con la verdadera naturaleza de la sexualidad: el principio del placer. Hubo un tiempo –en los años 80– en que la irrupción de la heroína imprimió una mayor sordidez, de la misma forma que en la posguerra la pobreza hizo otro tanto. Hoy, la inmigración masiva, la pobreza de los países de origen de la prostitución y la acción de las mafias convierten la prostitución en algo particularmente problemático.

Una muchacha filipina que desde niña era forzada a ejercer la prostitución en varios países, explicó que la primera vez que tuvo contacto con un cliente en España, estaba muy nerviosa y se puso a llorar. El cliente, desarmado, prefirió calmarla antes que tener una relación íntima con ella. No es esto, precisamente, lo que se espera de la prostitución. Es, desde luego, una experiencia personal, pero implica una línea de tendencia. Muchas de las mujeres que vienen a España a ejercer la prostitución lo hacen huyendo de la pobreza y como único medio para alcanzar un aceptable nivel de vida; resulta imposible juzgar si esta opción es voluntaria o forzada por las circunstancias. Y luego están las mujeres engañadas y obligadas a ejercer la prostitución. Por que de todo hay. ANELA exige a sus establecimientos asociados que las chicas que trabajen en ellos lo hagan voluntariamente, pero no siempre ocurre lo mismo.

Por su parte, Médicos Mundi en su «Informe Exclusión» de 2001 explica que el perfil de la prostituta que ejerce en nuestro país ha cambiado en los últimos años. Ya no es una mujer madura y española que disponía de una «cartera de clientes» y sabía lo que buscaban los hombres y como dárselo. Primero aparecieron las toxicómanas interesadas solamente por pagarse la dosis de heroína. Esto entrañó una caída en la calidad de los servicios e hizo que el negocio entrara en crisis cuando apareció el SIDA. El fallecimiento de buena parte de las toxicómanas o bien su reinserción a través de programas de rehabilitación, hicieron que los huecos fueran llenados con inmigrantes llegadas de África, América, países del Este europeo y asiáticas. A causa de la entrada masiva de prostitutas, el mercado quedó alterado y los precios de los servicios se mantuvieron en los niveles de principios de los años 90. Es precisamente en este informe de Médicos Mundi donde se reduce el porcentaje de prostitutas extranjeras al 66%. Nueva cifra que reduce el porcentaje de inmigrantes que se dedican a la prostitución hasta un 10%, 1 de cada 10 inmigrantes (2.000.000 según cifras oficiales en 2003), proporción que sigue pareciendo alta y que, necesariamente, sigue implicando que el número de inmigrantes es mayor.

En el programa Documentos TV de TVE el 27 de Junio de 2.001, un portavoz de ANELA estableció en un 70% el número de mujeres inmigrantes que ejercen la prostitución en España. En otro informe posterior, ANELA asciende la cifra de prostitutas que ejercen en España a «casi medio millón» de las que el

90% son extranjeras. Brasil, Colombia, Argentina, Rusia, Bulgaria y Polonia son los países de origen de estas «chicas de alterne» que, en su mayoría, trabajan en los conocidos clubs de carretera. Como vemos, la propia «patronal del alterne» ha variado extraordinariamente sus cifras en dos años. Parece como si ellos mismos se sorprendieran de la extensión del fenómeno. Basta visitar alguno de estos clubs de alterne para advertir que, la mayoría de las prostitutas son de origen extranjero.

La edad de las prostitutas oscila entre los 20 y los 26 años. Y la mayoría trabaja en este oficio una media de dos años. «Se queman muy pronto, lo dejan y suelen regresar a su país», indica Cantarero, presidente de ANELA. Durante este período, cada prostituta puede acostarse a diario con unos quince clientes, lo que reporta al mes una importante cantidad de dinero. «La mayoría de las prostitutas se embolsa un millón y medio de pesetas (9.015 euros) mensualmente» –aclara Cantarero– «que gasta en joyas, sobre todo oro, peluquería y llamadas a sus países de origen. Alrededor de este tipo de establecimientos se desarrolla una importante economía». En la Comunidad Valenciana, durante 2002, 300 chicas fueron liberadas por la Policía Nacional y la Guardia Civil de las amenazas de sus extorsionadores, cifra que suma un millar de inmigrantes desde el año 2000, según informes de la Benemérita. Fuentes policiales aseguran que el 40% de las afectadas regresan a la prostitución. El 15% vuelven voluntariamente a sus países de origen y el resto se emparejan con españoles o aceptan trabajos de baja remuneración en la economía sumergida. Se trata de mujeres, algunas menores, procedentes del Este europeo, donde la situación económica es de extrema carestía y no quieren volver con las manos vacías.

La ley de Extranjería, en su artículo 59, establece que las mujeres forzadas a la prostitución que cooperen con la policía propiciando datos esenciales contra los extorsionadores, podrán quedar exentas de responsabilidad administrativa y no serán expulsadas. Pero esto no ha evitado el miedo a las represalias de las mafias, contra ellas o contra sus familiares en el país de origen. Por lo demás también han existido casos de chicas que han denunciado a sus extorsionadores y no han podido evitar la orden de expulsión y ser contempladas como inmigrantes ilegales. «Se les incoa una orden de expulsión que tarde o nunca se materializa», según el responsable de la Sección de Extranjería del Colegio de Abogados de Valencia, Francisco Solans. ANELA, por su parte, reconoce situaciones de este tipo y el hecho de que el 99% de las afectadas no denuncien su situación.

El 18 de marzo de 2003, la policía desarticulaba una red que captaba mujeres en Colombia para ejercer la prostitución en Sevilla. El «modus operandi» empleado consistía en facilitar el pasaporte; una vez con la documentación, una agencia de viajes colombiana se encargaba de los billetes de avión, cartas de invitación para España y les entregaba 1.000 dólares. Eran trasladadas a España, vía Milán, y una vez llegaban a Madrid, les retiraban la documentación y el dinero; conducidas hasta la estación de autobuses, con destino Sevilla, una vez allí un miembro de la organización las recogía a su llegada, y las distribuía en los clubes de alterne. Una vez en el club eran informadas de que habían contraído una deuda de 10.000 dólares, por lo que tenían que ejercer la prostitución para satisfacer la misma; en caso de negarse eran visitadas por miembros de la organización, quienes «las amenazaban física y verbalmente, tanto a ellas como a sus familias en Colombia». Mientras estaban en el club eran controladas por los miembros de la organización, que recaudaban el dinero ganado y les buscaban otros clubes donde trabajar.

Unos meses antes se había desmantelado en Andalucía la mayor red de trata de mujeres del Este. Once locales en las provincias de Málaga, Granada y Córdoba fueron desmantelados por miembros de la Brigada Central de Extranjeros de Andalucía. En ellos, 235 mujeres extranjeras trabajaban como prostitutas sometidas a horarios que llegaban a superar las 12 horas diarias. Estas mujeres, de las que 90 procedían de la antigua

Unión Soviética y el resto de Colombia, Brasil, Nigeria, Liberia y Ecuador, eran introducidas en España como turistas. En diversas ocasiones, los dos cabecillas alemanes de la red se hicieron con todo lo ganado en un día por algunas de las mujeres. Las mujeres eran recluidas en las habitaciones de los prostíbulos a lo largo de toda la jornada laboral. Únicamente se les permitía salir en ocasiones excepcionales con personas de confianza. 244 redes de este tipo han sido desarticuladas desde el año 2000 en España.

A principios del 2003, la Policía desarticuló una red de inmigración ilegal y «trata de blancas» en el local de alterne Calipso, situado en la comarca barcelonesa del Maresme. La operación se saldó con la detención de 20 personas, 14 de ellas mujeres de la Europa del Este que habían sido introducidas en España de forma irregular. La investigación comenzó cuando la Unidad Contra las Redes de Inmigración Ilegal y Falsificación (UCRIF) de la Policía de Barcelona se enteró de que en el local se encontraba una mujer enferma, retenida contra su voluntad, a la que no permitían salir para acudir al médico.

También por esas fechas cayó una red que vendía mujeres de Europa del Este a prostíbulos por 6.000 euros. Los cabecillas, lituanos y españoles, prometían un trabajo digno a las inmigrantes, pero al llegar a España les obligaban a prostituirse bajo amenazas. La operación se llevó a cabo en Madrid, Murcia, Tarragona y Almería y concluyó con la detención de 54 inmigrantes por diferentes delitos. Las investigaciones comenzaron cuando tres mujeres –dos bielorrusas y una lituana– consiguieron escapar de un burdel de Murcia y denunciaron los hechos a la policía. Explicaron que habían sido introducidas en España por unos ciudadanos lituanos que les prometieron un trabajo digno y después les vendieron a los dueños de clubes de alterne situados en las provincias de Murcia y Tarragona, donde fueron obligadas a ejercer la prostitución.

Grupos policiales especializados en la lucha contra las redes de inmigración ilegal irrumpieron en noviembre de 2002 en el club Riviera de Castelldefels. Cuando llegaron los agentes, en el local había 178 mujeres extranjeras, principalmente ciudadanas del Este europeo, brasileñas y colombianas. Una vez practicadas las identificaciones, los agentes procedieron a la detención de 41 personas: 3 hombres y 38 mujeres. Uno de los detenidos es el ciudadano español Salah F. M., responsable del club. Las otras 40 personas detenidas lo fueron por infracción de la Ley de Extranjería. Muchas mujeres, asustadas por la situación, trataron de esconderse en los lugares más insospechados. Se sabe que hubo agentes que encontraron chicas ocultas en neveras, en armarios o en lavabos. Otro grupo de mujeres trataron de esconderse en la azotea, de donde fueron desalojadas por los agentes. Alguna de las prostitutas llegó a esconderse en varias ocasiones a pesar de ser descubierta por los investigadores una y otra vez. Algunas de las mujeres que huían de los investigadores policiales, en realidad, tenían sus papeles perfectamente en regla. Dado que las habitaciones no pueden registrarse, ya que la ley les concede las mismas garantías de inviolabilidad que a un domicilio particular, algunos agentes se dedicaron a vigilar los pasillos y cuando cliente y acompañante las abandonaban eran informados de la diligencia que se estaba practicando.

El club Riviera es, sin duda, una de las mayores factorías de sexo de Barcelona, ciudad donde la prostitución está mayoritariamente protagonizada por extranjeras, muchas de las cuales ejercen en la calle. Pero no es el único centro barcelonés de esta industria. El verano del 2002, decenas de africanas se apostaron en la Rambla y las inmediaciones del parque de la Ciutadella. A lo largo del 2003, la Guardia Urbana y la Policía las hostigaron reiteradamente. Luego, estas prostitutas ya han ocupado el lado montaña de la parte alta de la avenida de la Diagonal. La otra acera está reservada a prostitutas del Este. En la calle de Joaquim Costa y los alrededores del teatro Goya, en la entrada del barrio de El Raval, trabajan mujeres latinoamericanas. Los fines de semana hay prostitutas que trabajan muy cerca del cementerio de Montjuïc. No parece que estas prostitutas callejeras sean obligadas por nada más que la necesidad a ejercer su oficio.

Diferente, desde luego del caso de una joven inmigrante que vive atemorizada en Valencia desde que en enero de 2001 denunció a la mafia que la explotaba. En casi dos años, recibió brutales palizas, testificó contra un traficante de seres humanos y debió cambiar de domicilio en siete ocasiones. Tras entrar en España y pasar un mes encerrada en un apartamento de Gandía con otros doce inmigrantes, el jefe de la red mafiosa vendió a esta joven a un matrimonio francés por 300.000 pesetas (1.800 euros). «Los primeros días trabajé en un bar de la avenida Doctor Peset Aleixandre, pero luego me llevaron a un local de alterne», relata Natalia. «Sufrí mucho durante aquellos días, me drogaban y golpeaban en la cara porque no quería acostarme con los clientes», recuerda. Natalia decidió acudir a la Policía, el 25 de enero de 2001, para denunciar al marsellés que le propinaba las palizas y a la mafia que le había introducido ilegalmente en España. Agentes del Grupo de Extranjería de la Jefatura Superior de Policía de Valencia detuvieron al matrimonio francés. La tranquilidad sólo duró unos días. El marsellés salió de la cárcel y lo primero que hizo fue visitar a la joven, a quien le exigió que le devolviera el dinero que había pagado por ella. Un puñetazo en la cara y una pistola que llevaba en su cinturón fueron los argumentos que esgrimió el proxeneta. Días después, la inmigrante fue brutalmente golpeada por dos miembros de la mafia que la introdujo en España. «Me rompieron tres botellas de vodka en la cabeza y luego me patearon en el suelo. Conseguí escapar aprovechando un descuido cuando estaban durmiendo», explica la víctima. ¿Se trata de un caso único y extremo? No lo creemos, tal parece el desgraciado destino de un sector no cuantificable de mujeres inmigrantes.

El 24 de diciembre de 2002, agentes del Cuerpo Nacional de

Policía desarticularon una red de ciudadanos rumanos que captaban a mujeres de su misma nacionalidad para ejercer la prostitución en diferentes establecimientos de Castellón y Mota del Cuervo (Cuenca). Fueron detenidos siete rumanos. La mafia rumana es una de las más fuertes que operan en nuestro país.

Pero también hay testimonios en los que las chicas niegan estar retenidas contra su voluntad. Varias de las prostitutas que fueron detenidas en una operación policial desarrollada en Levante a principios de 2003, negaron que fueran retenidas contra su voluntad por los responsables de la residencia o de los clubes de alterne. Todas coincidieron al señalar que la detención había sido una «mala experiencia», y criticaron la dureza empleada por la Policía, «ya que nos metieron a 14 personas hacinadas en la misma celda y no nos dejaban ni ir al baño, e incluso tuvimos que orinar dentro de la celda en una botella», aseguró Norma Liliana, una de las chicas encarceladas durante la operación. Por su parte, Nilva, otra de las retenidas, aseguró que se encontraban en los locales por propia voluntad, que nadie les obligaba a hacerlo y que no les retenían los pasaportes. Las propias mujeres explicaron que sólo se les cobraba el hospedaje y que el dinero que sacaban se lo quedaban ellas. Sin embargo, en la región valenciana, una veintena de inmigrantes han conseguido el permiso de residencia en España durante los últimos dos años por denunciar a las mafias que los explotaban y colaborar con la Policía.

La llegada masiva de inmigrantes ha hecho que enfermedades que estaban desterradas de España, reaparecieran de nuevo. Cuando en el año 2000 se produjo la ocupación de la Iglesia del Pi por parte de un grupo de inmigrantes, se produjeron varios casos de tuberculosis, enfermedad erradicada en España desde finales de los años 70. También se han producido casos de virus tropicales traídos por inmigrantes subsaharianos. Sin embargo, a partir del 2001 la sífilis y la gonorrea experimentaron un despunte. El doctor Vilalta comentó que estas enfermedades se debían a la prostitución procedente principalmente de países del este y del Caribe. El dermatólogo Salvador Laguarda, de la clínica Casa de la Salud, señaló que está aumentando la tasa de enfermedades desaparecidas como las de transmisión sexual, que son importadas como «la sífilis, la gonorrea, la sarna y otros gérmenes de enfermedades de transmisión sexual debido a la expansión de la prostitución y a la falta de precauciones». Y añade: «también están llegando otras enfermedades nuevas como la filaria o parásitos que se introducen dentro de la piel a modo de surcos».

Y todo esto también podía preverse. De hecho, se había previsto. El 12 de diciembre de 1994, la Sociedad Española de Neumología y Cirugía Torácica (SEPAR) alertó sobre la fuerte expansión de la tuberculosis en España, donde aparecen unos 20.000 nuevos casos cada año, y denunció el descontrol de las autoridades sanitarias ante esta enfermedad. Según datos de esta sociedad, España, con una incidencia de 40 casos por cada 100.000 habitantes, es el país con mayor número de enfermos de la UE y la única nación comunitaria que registra actualmente un aumento importante de casos. Según se explicó en este congreso, las causas del incremento de esta enfermedad eran, el SIDA y el aumento de la inmigración desde el tercer mundo.

El Parlamento Autonómico de Cataluña aprobó por unanimidad en junio de 2001, una proposición no de ley en la que reclamó la creación de una comisión interdisciplinar de expertos, para que diseñe un plan de acción contra la ablación de clítoris a que se somete a algunas niñas de origen africano. La proposición no de ley, que había sido presentada por todos los grupos parlamentarios (CiU, PSC, PP, ERC e IC-V), reclamaba al gobierno catalán que impulsase varias medidas para incrementar la información sobre esta práctica entre las familias africanas residentes en Cataluña.

Pocos días después de la presentación de esta propuesta, los expertos de la Sociedad Española de Neumología, advirtieron en Coruña de que el paulatino incremento de casos de tuberculosis relacionados con la población inmigrante podría condicionar el control de la enfermedad. No se descartaba que, dado el aumento de ciudadanos de países subdesarrollados que llegan tuberculosos a nuestro país, se pueda avivar una enfermedad que se creía casi completamente erradicada. En estos momentos, la proporción de tuberculosis entre los inmigrantes «no es demasiado elevada». Entre los inmigrantes encerrados, a principios de año, en la Iglesia del Pino en Barcelona, se contaron seis casos de requirieron hospitalización por tuberculosis avanzada. Los médicos reunidos en Coruña alertaron sobre la necesidad de establecer estrategias sanitarias sobre el colectivo de inmigrantes efectuándoles al llegar pruebas diagnósticas. Aprovecharon para advertir sobre los casos de ablación que se estaban detectando especialmente en niñas de Malí, Sudán, Somalia y Sierra Leona residentes en España.

A esto se unen los hábitos peligrosos en la sexualidad de los españoles. En la encuesta de Salud 2001-2004 realizada por la Conselleria de Sanidad de la Generalitat de Valencia se puso de relieve que el 53% por ciento de los varones no utilizaba preservativo en sus relaciones sexuales para prevenir enfermedades de transmisión sexual, frente al 46% de las chicas. A lo que hay que añadir las características específicas de algunas de estas enfermedades. La gonorrea, por ejemplo, es una enfermedad venérea fácil de detectar en los varones a causa de la secreción purulenta que genera en la uretra y que produce dolor al orinar. En la mujer es mucho más difícil de detectar. Cualquier persona que tenga relaciones con una mujer infectada sin saberlo, pasará a sufrir la enfermedad.

La ya de por sí imposible regulación del sector, unido a la presencia masiva de inmigrantes ilegales y, por tanto, a la ausencia de cualquier control sanitario, crean el caldo de cultivo favorable para la expansión de las venéreas. Otros países establecen que para poder gozar de permiso de residencia es preciso someterse a un examen médico que certifique la ausencia de enfermedades. Esto no se exige en España. El resultado es que parte de los inmigrantes que llegan desde países subsaharianos sufren de SIDA. No es raro puesto que en el continente negro existen entre 20 y 40 millones de infectados con el VIH. En su país de origen, pocos son los que pueden recibir cuidados y medicación adecuados. Pero es evidente que Europa no dispone de recursos suficientes como para atender a todos los casos de SIDA que aparecen en África. Y, por lo demás, ¿hasta qué punto es ético asegurar los cuidados sólo de los africanos que logran llegar hasta nuestro país y olvidar a los que no tienen fuerzas ni decisión suficientes como para seguir el mismo trayecto?

Por que el problema de la salud no afecta únicamente a la prostitución. Afecta a la totalidad de la inmigración. Cuando algún donante de sangre acude a un hospital, lo primero que le preguntan es si ha viajado a algunos «países de riesgo»; en caso afirmativo, su sangre, a pesar de las necesidades, no es aceptada. Y nadie lo toma como una odiosa discriminación. Pues bien, esos «países de riesgo», habitualmente son exportadores de inmigrantes. Desgraciadamente, estos países disponen de sistemas sanitarios muy deficientes y se ven desbordados frecuentemente por este tipo de enfermedades. A esto se une el fenómeno de la inmigración, legal o ilegal (ya que en este tema la ausencia de controles médicos equipara al inmigrante llegado en patera con el que llega en Boeing y al que dispone de papeles como al indocumentado). Y a esto se une todavía el problema de la prostitución, ya de por sí expuesto a enfermedades de transmisión sexual.

La propuesta de ANELA de regular la prostitución para proteger los derechos de las personas y acabar con las mafias internacionales, no es absurda. Falta saber si es viable. Y lo que es más grave, falta saber si es ético legalizar un sector en el que entre el 68% y el 98% de sus integrantes son extranjeras. Por que éste no es un sector como el de la distribución del butano. El

Ministro del Interior de la República Dominicana ya contestó negativamente a la propuesta de ANELA consistente en que se reservara anualmente un contingente para el ejercicio de la prostitución (o el «alterne» como prefiere decir ANELA). El 1 de diciembre de 2001, ANELA, por ejemplo, pidió la legalización de 1600 prostitutas inmigrantes. A ningún país le gusta ser considerado como exportador masivo de prostitutas.

Por lo demás la prostitución está sometida como cualquier otra actividad comercial a la economía de mercado. La llegada masiva de prostitutas ha generado una bajada general de precios, algo que satisfará, sin duda, al consumidor compulsivo, pero... la prostitución afecta a la sexualidad y a la dignidad más que ninguna otra tarea humana. ¿Qué dignidad puede haber, por muy legalizada que esté y por muchos permisos de residencia y trabajo, seguridad social y asistencia sanitaria que se aprueben, para una actividad en la que las trabajadoras cobran una cantidad mínima por servicio y después de 15 quedan literalmente rotas?

Resulta triste hablar de todo esto. Es triste que haya mujeres que tengan que abandonar su país por la pobreza. Resulta extremadamente triste que el único «medio de producción» del que disponen sea su propio cuerpo. Resulta lamentable que su cuerpo –que goza de derechos y dignidad– se vea cosificado y convertido en mera mercancía a merced de la ley de la oferta y la demanda. Es triste que, a esto se añadan problemas sanitarios o legales. Y resulta insoportable además, especialmente para el resto de inmigrantes, saber que sus compatriotas constituyen la mayor parte de las prostitutas que ejercen en España. Si, ya sabemos que se trata del «oficio más viejo», que la sexualidad es una actividad humana, conocemos lo odioso de la doble moral y todo lo que se nos pueda recordar. Pero no podemos evitar ver en todo esto algo que produce cierta tristeza.

La inmigración ha convertido la prostitución en algo masivo y fuera de todo control. Mientras, hasta ahora, la propia sociedad regulaba la prostitución y siempre existía una necesidad que quedaba cubierta por las prostitutas que pertenecían al propio entorno social, generándose incluso una cierta profesionalización y fidelización de la clientela –y por tanto, una relativa estabilidad «en el empleo»–, en la actualidad se trata de una actividad que experimenta un crecimiento anómalo y desordenado.

Esta eclosión salvaje de la prostitución generará en breve plazo consecuencias de todo tipo: hemos aludido a las sanitarias y también hemos facilitado algunos datos que permiten pensar que buena parte del volumen total de negocio es canalizado por las mafias. Pero la presencia masiva de prostitutas afectará también a las relaciones sociales y de pareja en nuestro país. Algo que excede las conclusiones de esta obra, pero que está próximo.

El problema de los menores

Desde principios de 2002, la violencia urbana protagonizada por menores se había convertido en el tema de conversación en Francia. Dos adolescentes habían torturado durante horas a una compañera de su misma edad, a raíz de una pelea que degeneró en rito satánico. No muy distante en el tiempo, en una estación de autobuses, una banda de 30 a 40 jóvenes mató de una paliza al padre de un muchacho, que les había denunciado por extorsión. Igual de escalofriante: al borde del suicidio, una chica acabó contando a su familia que lleva meses siendo víctima de violaciones colectivas, perpetradas por un grupo de 10 a 15 chavales de su mismo colegio. El aumento de la delincuencia juvenil era un hecho indiscutible en Francia que hasta mediados del 2001 sólo negaban los partidos de izquierda y ante el que callaba el centro derecha. Ese año, según cifras del Ministerio de Interior francés, de las 835.000 personas detenidas en 2001, 177.017 eran menores de 18 años, el 21%, una cifra que se ha duplicado en solo 10 años. El 36% de los delitos cometidos en Francia son protagonizados por menores. ¿De dónde salen estos menores? ¿Quiénes son?

Hughes Lagrange, autor de un ensayo sobre la delincuencia juvenil, revela que desde 1975 los delitos contra la propiedad han crecido entre un 30% y un 50% y las agresiones de tipo sexual o en el curso de robos con intimidación y la drogadicción han aumentado un 400%. El fenómeno, para el sociólogo está vinculado a «ciertos sectores urbanos» (eufemismo para indicar a los jóvenes en paro y sin titulación) y a la inmigración. El paro y el bajo rendimiento escolar son las causas de esta relación entre inmigración y delincuencia para Lagrange. Un 25% de las familias de origen magrebí vive por debajo del umbral de pobreza, mientras que las familias francesas este porcentaje baja a un 7%. Un 72% de los estudiantes magrebíes ha repetido al menos un curso. Y luego está el paro en los padres. El hijo tiende a perder el respeto al padre que está en paro. La cohesión familiar se pierde, el cabeza de familia ya no tiene capacidad para «guiar» a la familia. Si la familia no tiene un «guía» se atomiza y algunos de sus miembros pueden tomar derivas problemática. Los jóvenes tienden a imitar comportamientos, hacen lo que ven… Desde principios de los 80, cada vez ven más delincuencia.

Finalmente, queda la cuestión del control social. La delincuencia juvenil se ha banalizado. A nadie le sorprende la existencia de bandas que controlan barrios enteros. Mientras las bandas de delincuentes son cada vez más y mayores, el resto de los vecinos tienden a una especie de resignación y miran a otro sitio cuando se produce algún delito. En algunos barrios la policía ni siquiera entra sabedora de que poco van a poder hacer para restablecer la normalidad. Los jóvenes creen, entonces, que todo les está permitido y que la sociedad es débil ante ellos. No se equivocan. Es el fruto de la educación permisiva y antiautoritaria. Aun existen cifras más preocupantes: un 5% de los delincuentes juveniles comete el 50% de los delitos en general, el 80% de los delitos graves y el 95% de los tráficos ilícitos. 50.000 jóvenes de 13 a 21 años se encuentran bajo tutela judicial. Uno de cada dos es de origen magrebí.

Apenas se dice que buena parte de los delincuentes magrebíes son «de segunda generación», hijos de inmigrantes magrebíes que llegaron a Francia en los años 70 y 80. Sus padres fueron trabajadores, religiosamente estaban vinculados al Islam, sociológicamente se concentraron en barrios concretos. No planteaban problemas de integración por que se situaron al margen en esos barrios. Cuando se produjeron las crisis económicas de finales de los 70 y a lo largo de los 80, el paro les afectó cuando ya tenían hijos. Estos tenían otra mentalidad: no estaban vinculados a ninguna forma de religión, querían tener acceso a los bienes de consumo que veían en los barrios céntricos de París. Habían perdido sus tradiciones de origen, pero no se sentían franceses. Sin tradición y sin arraigo en nada ni en nadie, la destrucción, la violencia gratuita y el vandalismo se convirtieron en la forma de vida más natural para algunos. Se sentían diferentes. El fracaso escolar les confirmaba en esa diferencia. Pero si no podían competir con otros en este terreno, sublimarían esa frustración en una violencia en la que eran los líderes, los reyes indiscutibles y que generaba miedo y terror. De los guetos de inmigrantes surgieron las bandas de delincuentes hijos de los inmigrantes (convertidos ya en franceses) y de estas el aumento preocupante de la violencia juvenil en Francia.

Este proceso es específicamente propio de los países con gran tradición en acogida de inmigrantes. No es el caso de España. Sin embargo también aquí, como hemos visto, existe una relación directa entre aumento de la inmigración y aumento de la delincuencia. Pero los motivos son más simples. Resulta difícil rebatir, por ejemplo, que los integrantes de la «banda de los peruanos» que, periódicamente expolia coches en las autopistas catalanas, estaba compuesta por inmigrantes de ese país que habían llegado a España al observar que existe un hueco en la legislación española que les permite que sus delitos salgan «baratos» desde el punto de vista penal. Resulta difícil demostrar que los miembros de estas bandas han llegado a España con intención de trabajar y ante la imposibilidad de regularizar su situación (legalmente deberían de haber venido con la situación ya regularizada) se han lanzado a la delincuencia. Otro tanto puede decirse de la relación entre el aumento de los asesinatos en Madrid y el aumento de la inmigración colombiana. Un trabajador en paro, no se convierte en asesino; en cambio, un asesino profesional jamás se integrará en el circuito normal del empleo. Y lo mismo podría decirse de la relación entre el aumento estadístico de la violencia contra la mujer y el aumento de colectivos étnico-religiosos que mantienen un evidente desprecio y desconsideración hacia la mujer. Sin hablar, por supuesto de «niños de la calle», sobre los que existe la sospecha que muchos de ellos han sido enviados a Europa por sus padres con la intención de robar, sabedores de que la legislación penal europea es extremadamente generosa con estos menores. Se han dado casos de mafias procedentes del Este europeo que utilizaban a sus hijos menores para robar en pisos dado que por su tamaño podían colarse por rendijas y que saldrían indemnes en caso de detención.

El 2 de noviembre de 2001, el gobierno autónomo asturiano aprobaba un crédito para establecer medidas alternativas al internamiento de los menores delincuentes. En enero de 2001, se aprobaron la construcción de centros de internamiento para menores en la comunidad de Castilla-La Mancha. En Toledo se creará un nuevo centro terapéutico para jóvenes con trastornos psiquiátricos; Ciudad Real acogerá otro lugar de internamiento en régimen cerrado y semiabierto y se ampliarán las actuales instalaciones de Albaidel en Albacete, con la creación de un nuevo módulo de internamiento. Así mismo, en Santa Cruz de Tenerife la Dirección General de Protección del Menor amplía su red para la aplicación de la Ley de Medidas Judiciales para menores en régimen abierto con cinco centros de día, tres en Gran Canaria y dos en Tenerife. Podríamos multiplicar los ejemplos. Se abren nuevos centros y se inauguran proyectos alternativos, por que hay una mayor delincuencia juvenil. Y lo que es peor: hemos puesto ejemplos de ciudades de dimensión media. En las grandes ciudades el problema es mucho mayor.

En el 2000 se inició el «efecto llamada»; por entonces, los primeros «niños de la calle» llegaron a Barcelona; un año después se habían transformado en una legión de delincuentes juveniles atraídos por la idea de que en la Ciudad Condal podía hacerse cualquier desmán sin coste penal alguno. A principios de abril de 2001 actuaban como mínimo en Barcelona 500 delincuentes menores de edad, apenas niños; sus delitos habían generado una sensación de inseguridad en los barrios del Raval y de la Ribera, y en el turístico Barrio Gótico. Tras un año de pasividad, la fiscalía y las autoridades empezaron a reconocer lo que el ciudadano medio percibía desde el principio, a saber, que el problema se había descontrolado.

La Guardia Urbana de Barcelona estrenó en julio el llamado Turno C, formado por 50 funcionarios que sólo trabajan de jueves a sábado y en vísperas de festivos, de las 21 a las 7 horas. La mayoría patrullaba por las zonas más castigadas por la delincuencia del Casco Antiguo. Así mismo la policía nacional vio reforzados sus efectivos en la Ciudad Condal. .

A decir verdad la seguridad en Barcelona había alcanzado mínimos históricos. En pocos meses los robos a viviendas crecieron un 29% y los robos con intimidación un 11%. Pero había algo peor que no registraban las estadísticas: la sensación de inseguridad que vivían los barceloneses y que se ponía de manifiesto en conversaciones privadas y en tertulias. Tanto la Guardia Urbana como la Policía Nacional mostraban un grado aceptable de eficacia. Las detenciones practicadas por estos últimos subieron un 15'7% en el 2001. Los agentes adoptaron los más inverosímiles disfraces y camuflajes para detener con las manos en la masa a los sirleros más peligrosos.

Paralelamente, la brutalidad de los delincuentes menores iba en aumento: lejos de actuar en solitario, recorrían el casco antiguo de la ciudad en bandadas lanzándose sobre las víctimas. En algunas ocasiones su técnica consistió en atacar por la espalda rodeando el cuello de la víctima con una cuerda o un alambre, provocándoles asfixia; así el resto de delincuentes de la banda, logran sustraerles con más tranquilidad la cartera. En otros casos, la chaqueta de la víctima era rociada con un disolvente que los delincuentes prendían fuego. En un gesto instintivo, la víctima tendía a despojarse de su chaqueta y arrojarla al suelo... con la cartera. En el ferrocarril metropolitano de Barcelona aún hoy es fácil ver la acción de «piqueros» –habitualmente de aspecto magrebí– intentando robar carteras. Actúan de dos en dos por las estaciones más céntricas. En el momento de escribir estas líneas, los pasajeros a poco que estén atentos, logran identificarlos con facilidad.

En 2001, según un folleto entregado por el Consulado Norteamericano de Barcelona a los turistas de esa nacionalidad, una de las situaciones de máximo riesgo es cuando el turista pasa junto a un grupo de niños que juegan a la pelota en el Casco Antiguo. Si detectaban que era portador de algún objeto de valor, le arrojarán con fuerza la pelota y en la confusión procurarán apropiarse de bolsas, maletas o cartera. En el mismo folleto se exhortaba encarecidamente a sus ciudadanos que no se detuvieran por nada del mundo a jugar al fútbol con niños...

En calles extremadamente céntricas, como la calle Pelayo, grupos de delincuentes rodeaban a automóviles, especialmente de turistas, incluso arrojándose sobre el capó. Cuando el coche se detenía, la banda abría las puertas del automóvil sustrayendo todos los objetos de valor. Pasear por el Barrio Gótico suponía inevitablemente ver alguna carrera entre un ladrón que huía con el bolso de algún turista y en el peor de los casos, ser uno mismo víctima de estos robos. Dejar el coche aparcado en plenas Ramblas es todavía hoy un acto de insensatez: existe un razonable porcentaje de posibilidades de que será saqueado. En la misma Plaza de Cataluña, el centro de la ciudad, quien esto escribe ha podido ver como un grupo de turistas mejicanos perseguía (y alcanzaba) a un grupo de «descuideras» rumanas que habían robado varios bolsos. Sólo la Guardia Urbana salvó a las delincuentes de ser literalmente linchadas.

Si la delincuencia se disparó en Barcelona, no es por ineficacia policial, sino por la lentitud de reacción, la apatía, y la inercia de autoridades, juristas y partidos políticos. De hecho, todos los cuerpos policiales se sienten desmotivados y cansados de ver como los mismos delincuentes que detienen cada día, vuelven a aparecer al día siguiente realizando los mismos delitos en casi los mismos lugares.

La administración local, la Delegación del Gobierno, la Generalitat y la judicatura, en 2001 estaban literalmente desbordados por esta ola de delincuencia que no habían previsto con antelación. Por lo demás, el conflicto con los menores –la mayoría de los cuales son de origen magrebí– es un tema peliagudo que todavía no está resuelto. En principio, por que se trata de menores en situación ilegal en nuestro país; no se trata de delincuentes habituales curtidos, sino de adolescentes que apenas han dejado atrás la niñez y que tienen posibilidades de reinserción. Pero las consideraciones humanitarias no puede hacer perder de vista el otro hecho esencial: que estos menores están causando graves quebrantos a la seguridad ciudadana y a la imagen de paraíso turístico que España proyecta en el exterior. Todas las partes están de acuerdo en que cualquier medida debe tener en consideración los derechos del menor y la seguridad de que no van a volver a delinquir.

Los pequeños comerciantes se ven imposibilitados para hacer frente a la pequeña delincuencia; una de sus representantes, Teresa Caja, a mediados de 2001 presentó denuncia ante el Juzgado de Guardia contra la directora de la Direcció General d'Atenció al Menor (DGAM), Anna Soler, por dejación de funciones, abandono de menores e incumplimiento de la ley de atención al menor. Por su parte, los consulados de EEUU, Francia, Italia, Alemania e Inglaterra, remitieron tras el verano del 2000 una carta al alcalde Joan Clos, transmitiendo su preocupación por las agresiones y robos de que habían sido objeto los ciudadanos de estos países mientras visitaban Barcelona. Mientras que en junio de 1999 la delincuencia figuraba en el séptimo puesto de la escala de preocupaciones de los barceloneses, con un 4'3 de puntuación, en la encuesta realizada por el Ayuntamiento dos años después, la delincuencia había pasado a ser percibida como el principal problema con un 17'1% de puntuación. El tráfico, las obras, los ruidos, la polución, los problemas de aparcamiento en zonas azules, hasta hace poco preocupaciones prioritarias de los barceloneses, pasaron a un plano secundario. Para colmo, la encuesta de victimización del Ayuntamiento que pregunta si el ciudadano ha sido en el último año víctima de un delito, dió una cifra espectacular: el 15% de los barceloneses sufrieron en su propia carne algún tipo de actividad delictiva.

Difícilmente encontraríamos en Barcelona otro cuerpo policial tan apreciado por los barceloneses como la Guardia Urbana. Veamos su percepción de los hechos: el 17 de julio de 2001 fuentes de esa institución revelaron al diario «La Vanguardia» que el 85% de los detenidos por robo son extranjeros. En la página web no oficial de este cuerpo (http://members.es.tripod.de/gub/index0.html) se reproduce y amplía la información. Se dice, por ejemplo, que unos 400 delincuentes «peinan» a diario las principales zonas turísticas de Barcelona, y en especial Ciutat Vella (El Raval y el Barrio Gótico), con el único propósito de llevar a cabo hurtos o robos con intimidación.

Este ejército de delincuentes está formado por ladrones multirreincidentes que, en total, acumulan ¡más de 12.000 detenciones!, según datos manejados por el Cuerpo Nacional de Policía. Algunos de estos delincuentes rebasan las cien detenciones, aunque la cifra media se sitúa en torno a las treinta. Según el informe elaborado por la policía, del total de detenidos, solo un 15% son españoles.

La Direcció General d'Atenció al Menor (DGAM) de la

Generalitat ha elaborado un protocolo consensuado con la fiscalía del Tribunal Superior de Justicia de Catalunya (TSJC) para que los fiscales puedan pedir a los juzgados civiles el internamiento «forzoso» de los menores inmigrantes indocumentados, más conocidos como «niños de la calle» y que, principalmente viven en las calles del distrito de Ciutat Vella de Barcelona. Hasta 2002, estos menores, que continuamente cometían pequeños hurtos y robos con violencia, eren tutelados por la Generalitat, pero, sin embargo, no podían ser obligados a quedarse en un centro de menores.

Hemos intentado conocer las cifras de los Centros de Acogida; resulta imposible establecer oficialmente el origen de los niños «tutelados». Las instituciones afirman que no hacen distingos por raza, origen o nacionalidad. Mucho más abiertos son los funcionarios que trabajan en estos centros; uno de ellos comentaba a este corresponsal que en 1999, apenas existían «niños de la calle» inmigrantes ingresados en estos centros, sin embargo, en la actualidad ascienden al 80% del total. El fiscal en jefe de Catalunya, José María Mena, explicaba que estos menores «se dedican a efectuar sustracciones, hurtos, tirones, en la parte histórica de la ciudad». Mena anunció que la fiscalía podría pedir a los juzgados el internamiento de estos niños. Mena explicó que esta experiencia, se inició «hace 15 días» (en mayo del 2001), posteriormente añadió: «Nos está llegando nueva población atraída por la idea de que en Barcelona se puede hacer lo que se quiera y, si podemos producir una idea diferente, que aquí se viene a trabajar y a llevar una vida normal, no vendrán»; explicó que «el internamiento se prevé no como un castigo ni como una represión penal, sino con finalidades educativas. Por eso no pedimos a los juzgados penales, sino a los de familia que lo autoricen excepcionalmente y cuando sea necesario para el menor».

El conseller de interior Xavier Pomés es quizás uno de los políticos catalanes que tiene más clara la situación. Para Pomés, Barcelona vivía una situación de impunidad. En declaraciones realizadas a La Vanguardia el 5 de agosto de 2001, Pomés preguntado sobre el origen y la edad de los delincuentes, añadió: «Un niño de 12 años aquí es un niño; en Marruecos es ya adulto». Su conclusión es que urge modificar el marco legal y evitar llegar a situaciones límite como la de nuestros vecinos franceses donde «la situación es muy preocupante, aumentas los delitos y aparecen guetos en determinadas zonas urbanas».

La línea emprendida por la Fiscalía, en principio, parece la correcta. El internamiento de los menores multirreincidentes de un lado (actitud enérgica), unido a una generosa política de formación profesional y reinserción, permanencia obligatoria en el interior de los centros de menores, parecen la actitud más humana y correcta, no sólo hacia los «niños de la calle», sino hacia las víctimas de sus robos y hacia los mismos barceloneses.

A lo largo del 2002 la situación pareció mejorar. El número de delitos protagonizados por los menores magrebíes descendió… pero corre el riesgo de que se trate de una ficción, el problema no ha desaparecido: sigue habiendo delincuencia de menores inmigrantes ilegales en Barcelona y el descenso se ha debido a que varias decenas han abandonado una ciudad en la que eran suficientemente conocidos y donde se iba endureciendo el comportamiento de las instituciones hacia ellos. Simplemente, el problema ha descendido en Barcelona por que muchos delincuentes menores se han ido a otras ciudades más «blandas».

Según el conseller de Indústria, Comerç i Turisme, Antoni Subirà, la ocupación hotelera en la ciudad disminuyó un 4% durante las dos primeras semanas de julio de 2002 en comparación con el mismo periodo del año anterior. El conseller atribuyó el descenso a que «ha de mejorar sustancialmente un aspecto que ustedes ya saben». No quiso extenderse más. «Prefiero no insistir en el tema porque cuando más se hable parece que será peor, pero los responsables en esta cuestión deben tomárselo en serio», es evidente que aludía a la delincuencia protagonizada por los «niños de la calle» y la delincuencia de origen extranjero.

La falta de seguridad inquieta también en otras zonas turísticas de Cataluña pero, por ahora, esto no se ha traducido en una reducción del número de turistas. Sin embargo, y para evitar males mayores, los hoteleros de la Costa Brava han pedido a la Generalitat que refuerce la vigilancia en la autopista A-7, donde los robos protagonizados por la «banda de los peruanos» volvieron a ser habituales a partir de mediados del 2001. La pasividad de las autoridades ha obligado a la Associació Hotelera Salou-Cambrils-la Pineda a reunir fondos propios para pagar gasolina y teléfono móvil a tres agentes de la Guardia Civil para que patrullen, de paisano por las zonas turísticas. Las cifras no pueden ser más preocupantes: en el Maresme, por ejemplo, la ocupación hotelera descendió un 10% en el 2002. Da la sensación de que, unos por acción (los delincuentes) y otros por omisión (las autoridades), entre todos están matando a la gallina de los huevos de oro en este país: el turismo.

En Madrid también cuecen habas. La Latina, Carabanchel, Los Cármenes o San Isidro, registraron un aumento desmesurado de la violencia juvenil a lo largo del 2003. A los problemas de siempre se ha añadido la presencia de bandas juveniles latinoamericanas. La que más ha dado que hablar es la de los Latin King, pero no es la única. El origen de esta tribu urbana son los EEUU, concretamente las pandillas del Bronx, en Nueva York. Más tarde se extendieron por Ecuador, en Guayaquil y poco después llegaron a España. Sus miembros son menores de origen ecuatoriano, armados de navajas y que dictan su ley en los colegios e institutos del Sur de Madrid. Para ellos la palabra «integración» carece de sentido.

Se ignora el número de miembros de los Latin King, sólo se intuye que se trata de una banda masiva. La Policía no es capaz de establecer quién la dirige y desde dónde. Probablemente se trate de varios pequeños grupos de pandilleros ecuatorianos que utilizan la misma sigla. El anagrama LK indica violencia en los barrios donde ha arraigado. Fundamentalmente se trata de La

Latina y Carabanchel; allí se encuentran oficialmente 22.000 ecuatorianos, si bien puede tratarse del doble.

La policía calcula que los LK son entre 200 y 400, todos ellos adolescentes ecuatorianos, fuertemente resentidos con una sociedad en la que sus padres deben trabajar a cambio de salarios bajos que no les permiten acceder al consumo. También se han detectado menores colombianos, dominicanos, chilenos y hondureños. ¿Su música? El rap. ¿Su edad? Entre 15 y 17 años. ¿Sus efectos sobre los barrios? El miedo.

Los LK aparecieron en España hacia el mes de septiembre del 2002. El barrio de La Latina es suyo a partir de las 20:00 del viernes y durante todo el fin de semana. La vida allí resulta peligrosa para los madrileños. Estos pandilleros odian, proceden de un ambiente en el que la vida vale poco y nadie les ha enseñado la necesidad de disciplina y educación. Por lo demás ¿acaso España no es un paraíso de libertades? Pues bien, ellos hacen lo que quieren. Los fines de semana en esa zona proliferan los destrozos en mobiliario urbano, vehículos aparcados y comercios. Cualquier transeúnte puede verse agredido por estos vándalos. Por lo demás el alcohol hace estragos, y las reyertas proliferan entre ellos. Fiestas ensordecedoras hacen imposible el descanso y la tranquilidad en el barrio. Se les puede reconocer por prendas holgadas, habitualmente negras bajo las cuales esconden navajas. ¿Sus enemigos? Fundamentalmente jóvenes transeuntes u otras tribus urbanas. ¿Su símbolo? Un puño negro rodeado de una estrella. ¿El reclutamiento? Entre ecuatorianos inadaptados a la disciplina escolar, desinteresados por el aprendizaje y con complejo de inferioridad respecto a sus compañeros. Así subliman una actitud agresiva y liberadora.

Dado que «España va bien», los ministros del interior, han negado –lo siguen negando hoy– la existencia del problema. Sólo en abril de 2003 la policía madrileña ha empezado a preocuparse y debió montar dispositivos de seguridad en las inmediaciones de los Institutos de Madrid Sur. Esto no pudo impedir que el 26 de marzo de 2003 a las 14:00 pm los LK atacaran a estudiantes del Instituto Miguel Servet. Cuatro jóvenes resultaron hospitalizados. Diez jóvenes fueron detenidos: 4 colombianos, 2 ecuatorianos, 1 magrebí y 3 españoles. Dos días después, 3 ecuatorianos intentaron asesinar a un joven español en las puertas del colegio Calderón de la Barca. Los ecuatorianos resultaron detenidos, se les ocupó un cuchillo de cocina, una navaja y un gancho. Nadie duda de que en cualquier momento estas bandas pueden causar víctimas mortales.

A mediados de 2002 la Consejería de Educación intentó atajar el problema y elaboraron el programa «Convivir es vivir»… ¿el resultado? Los pandilleros ecuatorianos percibieron fácilmente la debilidad de las autoridades y decidieron que podían ir más lejos, nadie se lo iba a prohibir.

En Francia allí donde hay inmigración masiva, la enseñanza pública ha quedado pulverizada. Es así de simple. En cambio, en aquellas regiones en donde apenas hay inmigración, esa misma enseñanza pública sigue con los niveles de calidad de principios de siglo. Pues bien, la tragedia de la enseñanza francesa –violencia en las aulas, fracaso y absentismo escolar, hundimiento en la calidad de la enseñanza– se está trasladando a España. Lejos de intentar resolver el conflicto, los presidentes de los consejos escolares del Estado y de las autonomías han pedido a las administraciones que eviten la concentración del alumnado inmigrante en la enseñanza pública. Lo que están pidiendo es ampliar el conflicto a la enseñanza concertada.

Hoy la inmensa mayoría de alumnos inmigrantes están matriculados en colegios públicos. Muchos de ellos ni siquiera tienen un mínimo dominio del idioma español, otros no experimentan interés por las asignaturas sabiendo que cuando cumplan la edad legal, sus padres los pondrán a trabajar; hay buenos estudiantes, pero también los hay distantes con lo que les rodea y los hay que desconocen cualquier tipo de disciplina y no están dispuestos a que en el paraíso de las libertades que es Europa, vengan unos profesores a imponerles el aprendizaje de las asignaturas. Y luego está la cuestión de las identidades: frecuentemente los alumnos de los colegios se organizan por etnias de origen, así refuerzan su identidad. De ahí a la formación de bandas hay solo un paso. Los Latin Kings ya han dado ese paso. No son los únicos. Todo ello redunda en la caída de la calidad de la enseñanza. Esta crisis se inscribe dentro de la crisis general de la enseñanza pública que se remonta al período socialista y que cada vez más parece insuperable. El resultado es que padres agnósticos prefieren llevar a sus hijos a colegios religiosos concertados, antes que matricularlos en colegios públicos.

Reunidos en Salamanca los responsables de los consejos escolares de toda España, aprobaron en julio de 2002 una resolución en la que denunciaban esta situación. No se preguntaban como se había llegado a ella, ni qué efectos estaba provocando, ni siquiera sus causas. Tan solo se exigía una distribución equilibrada de estos escolares inmigrantes en todos los centros financiados con fondos públicos. Así se evitarán los guetos. Las organizaciones sindicales y de padres y alumnos que integran la Plataforma de Defensa de la Escuela Pública han acusado en numerosas ocasiones a los centros privados concertados de eludir su obligación de escolarizar a inmigrantes. La declaración alude a la «enriquecedora presencia de alumnos inmigrantes en los centros escolares». Luego sigue una oda a la multiculturalidad. Quizás por todo eso los padres prefieran orientar a sus hijos hacia los centros privados y concertados antes que a la enseñanza pública. Por supuesto, como han hecho en Francia organizaciones similares, para esta Plataforma todo se resuelve inyectando más fondos públicos para ayudar a la integración de los inmigrantes. Por nuestra parte, advertimos que esa política ya ha fracaso y está fenecida en Francia. Lo que ha ocurrido en Francia –el hundimiento de la escuela pública– puede ocurrir ahora en España. Cuando se ha admitido la entrada masiva de inmigrantes sin el más mínimo dominio del idioma, la escuela pública o privada no pueden modificar sus planes de estudio para adecuar el ritmo de la enseñanza a los alumnos que no tienen posibilidades de progresar por que no conocen el idioma en el que se efectúa la enseñanza. Los alumnos españoles se ven obligados a ralentizar su ritmo de aprendizaje y a abandonar algunos temas del programa de enseñanza. ¿Por qué la Plataforma no ha aludido a que el dominio del idioma es básico para acceder a la escuela pública? A lo mejor el problema se resolvía en parte simplemente con una aplicación de la Ley de Extranjería y con la no admisión de inmigrantes que no dominen el idioma.

La Plataforma de Defensa de la Escuela Pública alude además a que en las aulas los profesores deben velar escrupulosamente por el «respeto a la cultura de procedencia» y «que tenga como propia la interculturalidad y que haga posible a todo el alumnado la efectiva igualdad de oportunidades», lo que traducido implica necesariamente, modificar los contenidos de algunas asignaturas. Para esta Plataforma no es el inmigrante el que se debe adaptar a la sociedad que lo recibe, sino ésta la que debe adaptarse al recién llegado.

El proceso descrito por la Plataforma se produce en la realidad, pero lo que la Plataforma prefiere ignorar es por qué se produce el conflicto y por qué cada vez más padres prefieren enviar a sus hijos a colegios de pago, haciendo un sacrificio económico, en ocasiones extremo, para evitar que sus hijos vivan la degradación de la enseñanza pública. Por que el multiculturalismo no es la solución, sino una parte del problema.

Ablación del clítoris

La «ablación» es, según el diccionario, la separación o extirpación de cualquier parte del cuerpo y la «ablación genital femenina», la mutilación genital o ablación del clítoris. Una práctica que jamás se ha conocido en el viejo continente, ni siquiera períodos prehistóricos.

Hasta no hace mucho la mayoría de españoles creíamos que

era una rareza antropológica propia de pueblos primitivos. La llegada de riadas masivas de inmigración a nuestro continente que llevaban con ellos sus tradiciones y costumbres, ha hecho que, bruscamente, hayamos tomado conciencia del drama por el que atraviesan millones de mujeres del Tercer Mundo.

En la actualidad resulta difícil establecer el número de mujeres que han sufrido ablación. Las cifras más optimistas hablan de más de cien millones, pero, frecuentemente, a partir de datos de la ONU y la UNICEF, se considera que entre 130 y 150 millones de mujeres han sido martirizadas con esta mutilación que les dejará secuelas durante toda su vida.

Los países con mayor número de ablaciones son Nigeria (33 millones), Etiopía y Egipto (24 millones cada uno), Sudán (10 millones), Kenia (7 millones) y Somalia (4'5 millones). Con cifras menores, pero con unos porcentajes extremadamente altos, figuran los países del África Occidental: en especial Malí, Camerún, Costa de Marfil, etc. En países como Djibuti o Egipto entre el 80 y el 90% de las niñas sufren ablación. Según un dosier informativo de INFOMUNDI, se calcula que dos millones de niñas son sometidas anualmente a mutilación genital. Hay aproximadamente seis mil nuevos casos por día, o sea, cinco ablaciones por minuto...

Las mutilaciones se realizan sin ningún tipo de medidas sanitarias. Básicamente la operación consiste en inmovilizar a la niña por sus familiares o atándola a la cama en el momento en que cumple los 7 o 10 años, colocarle unas tablillas sobre cuyas aristas sobresalga el clítoris, y arrastrar un vidrio o un cuchillo sobre las tablillas hasta que arranquen de cuajo el delicado órgano femenino. Existen diversas formas de ablación, según la parte mutilada sea mayor o menor. La forma menos severa, es conocida como «Sunna» y consiste en arrancar el prepucio del clítoris o la punta del mismo. Otra forma más severa implica arrancar el clítoris en su totalidad, seguida por la aplicación de huevo u otra sustancia adhesiva para favorecer la cicatrización. También existe la cruel posibilidad de arrancar el clítoris y el labio menor. Finalmente, la forma más cruel es la infibulación o mutilación genital igual a la anterior, más la amputación de la parte interna del labio mayor. Luego la herida es suturada dejándose sólo un pequeño orificio para orinar y, posteriormente, permitir la salida del flujo menstrual. La infibulación produce un gran daño en los genitales externos de la mujer, ricos en vasos sanguíneos, inhibiendo completamente sus sensaciones sexuales.

Tal es el dramático destino de las mujeres de buena parte de África. No todas sobreviven a la mutilación. Frecuentemente las infecciones acaban con la vida de la niña. Las que sobreviven, además del trauma, padecen secuelas durante toda su vida. Frecuentemente sufren infecciones vaginales, tumores y dolor durante la penetración y el parto. Por supuesto, ignoran durante toda su vida lo que es el orgasmo y el placer sexual intenso.

La ablación se realiza sin los más mínimos cuidados sanitarios. El carácter mismo de la operación y algunos de los tipos de ablación implican necesariamente la aparición de «daños colaterales» que acompañarán a la futura mujer, durante toda su vida: La hemorragia que se produce después de la mutilación o dos o tres días después, se debe a que no se ha realizado correctamente la sutura de los vasos sanguíneos. Los casos de muerte por hemorragia son numerosos. Algunas niñas que han sufrido ablación necesitan transfusiones de sangre. El trauma operatorio produce asimismo retención de orina, debido al temor a experimentar dolor y una sensación de ardor al orinar. En algunos casos se producen coágulos que bloquean las vías urinarias, infección de la herida y, en caso más extremo, el tétano, que se transmite a través de los «instrumentos quirúrgicos» no esterilizados. Complicaciones de orden ginecológico tales como infecciones crónicas del tracto urinario. Dolores durante el período menstrual debido a que la pequeña apertura dejada por la infibulación dificulta el flujo de las secreciones vaginales y de la menstruación. Infecciones pélvicas y vaginales a causa del mal drenaje. Quistes en la zona donde se ha realizado la ablación del clítoris, etc. Las relaciones sexuales son dolorosas y la difícil penetración se acompaña de temor de las niñas al casamiento. Parto prolongado y extremadamente doloroso, sobre todo en la segunda fase, cuando se produce la dilatación cervical y la cabeza del bebé tiene que salir. Fístulas rectovaginales y de otro tipo. Prolapso de la vagina debido a la prolongada retención del feto.

La ablación femenina tiene un sentido similar a la circuncisión practicada por musulmanes, judíos y buena parte de las poblaciones del África Negra. El tránsito de la niñez a la juventud entre los varones viene dado por la amputación ritual del prepucio y, en el caso de las etnias africanas, por la «aventura iniciativa», frecuentemente la caza de un animal salvaje. La ablación es el equivalente en las niñas. Tanto la circuncisión como la ablación se consideran «ritos de tránsito». Cuando el joven cumple determinada edad atraviesa esta «iniciación» y pasa a ser considerado «hombre» o «mujer».

No es raro que en África, las niñas esperen la ablación como un tránsito necesario para ser consideradas mujeres. La amputación del clítoris implica «limpieza» y «pureza». Ese fragmento de carne, extremadamente rico en terminaciones nerviosas y vasos sanguíneos, es considerada «carne impura» y, por tanto, debe ser amputado. Para acentuar este sentido, las niñas, en algunos países como Somalia, tras ser mutiladas, son lavadas de forma ritual y su cráneo es afeitado.

Este sistema tiene como único fin el control de la sexualidad femenina. Desde un período ancestral, estas poblaciones han temido que la mujer aprendiera los mecanismos del placer sexual y se entregue a ellos, causando la consiguiente «pérdida de honra» del varón. Los valores culturales de las sociedades que practican la mutilación genital, transmiten a sus mujeres que cualquiera de ellas que no haya pasado por esta «purificación», no es útil para el matrimonio, huirá pronto del hogar y se prostituirá.

En Europa las cosas se ven de otra forma. Si la igualdad

sexual todavía no se ha alcanzado, si al menos se percibe un cambio en las costumbres. Nadie discute la tendencia a considerar a la mujer como igual al varón. Las religiones europeas, desde la más remota antigüedad –el paganismo celta, o la religiosidad greco-latina– confirieron a la mujer un papel elevado, como esposa, madre y amante, frecuentemente elevadas al papel de diosas. Esta herencia cultural se ha ido desarrollando hasta nuestros días y generando un progresivo marco de igualdad.

Por eso ha sorprendido todavía más el que, desde 2001 empiecen a llegar a las consultas pediátricas españolas casos de niñas que han sido mutiladas en nuestro país. En 1987 ya se detectó el primer caso en el Reino Unido y en 1998 en Italia y Francia. Las familias aprovechan períodos vacacionales en sus países para someter a la niña a mutilación sin los problemas legales que esto podría acarrear en Europa. Posteriormente, cuando regresan y llevan a la niña a la consulta pediátrica, se evidencia la mutilación. La obligación de los médicos es comunicar el caso a las autoridades. Esto ha hecho que las fiscalías de Barcelona, Madrid, Baleares, Zaragoza y Valencia, tomaran cartas en el asunto ante estos casos. También se han producido insólitas situaciones en las que los familiares de la niña han solicitado al pediatra que procediera a la mutilación ritual, con cargo a la seguridad social. El argumento es simple: si las niñas regresan a África sin haber sido mutiladas serán, irremediablemente, repudiadas...

Distintas ONG's y servicios de Asistencia Social de los Ayuntamientos están intentando llevar campañas de sensibilización e información sobre los peligros que acarrea la ablación y su prohibición en nuestro país. Sin embargo, hasta ahora y según reconoce una asistenta social del Raval, los resultados son mínimos: «La ablación está tan arraigada en aquellas culturas africanas que la niña que está "entera" es considerada con un rango similar a las "prostitutas" y no tiene ninguna posibilidad de inserción normal en su sociedad de origen».

En Egipto cada día se mutila a tres mil niñas. El gobierno, haciéndose eco de los llamamientos de la Asociación Egipcia Pro Derechos Humanos, ha multado con 80 millones de pesetas al líder de los teólogos musulmanes por haberse manifestado a favor de la mutilación femenina. Pero éste ha respondido con una fatwa (decreto religioso) contra quienes se opongan a ella, afirmando que merecen la muerte y refiriéndose a la operación como una «práctica loable que honra a la mujer».

El 21 de mayo de 2001, La Vanguardia publicaba un artículo titulado: «Un imán de Lérida justifica la ablación si se hace en zonas muy calurosas». Abdelwahab Houze matizó que en los textos sagrados queda muy claro que esta práctica sólo es defendible en países muy calurosos. Estas declaraciones venían a remolque de otras realizadas por el imán de la otra mezquita local, Morro Jaitch que permanecía ambiguo ante las ablaciones: «Ni hacerla ni no hacerlo son pecado». Jaicht consideró exagerado perseguir en España a los musulmanes que sometan a sus hijas a una escisión del clítoris.

Resulta difícil entender como la ley coránica, sobre el papel efectivamente respetuosa para la mujer –sin tener en cuenta la institución muy coránica de la poligamia y las imposiciones de prendas agobiantes– desaconseja los tatuajes indelebles y, sin embargo, permanezca impasible ante las horrendas mutilaciones que se cometen en territorios islamizados.

Cuando esta atrocidad se comete en los países africanos, no queda más remedio que protestar y presionar a la comunidad internacional para que prohíba esta práctica detestable. El problema es diferente cuando la ablación se comete aquí y ahora. El escándalo saltó en 2000 cuando el Tribunal de lo Criminal de Seine-Saint Denis (a las afueras de París), juzgó a cinco malienses, acusados de complicidad en la mutilación genital de sus hijas. Los acusados –una pareja y un hombre y sus dos esposas, residentes en Francia– fueron responsables de la ablación de sus siete hijas entre 1985 y 1989. La jueza autorizó la proyección como prueba de un documental que mostraba una operación de ablación. Los abogados de las partes civiles –Liga del Derecho Internacional de las Mujeres, Grupo por la Abolición de las Mutilaciones Sexuales y SOS Mujeres– consiguieron que se difundiera el citado vídeo filmado en 1986 y que contiene pasajes extremadamente brutales sobre la mutilación genital. La mujer que practicó la ablación del clítoris a las siete pequeñas nunca pudo ser localizada por la policía. Esto ocurría en marzo de 2000. Un año después, en España empezaban a preocupar los casos de ablación. En junio, una jueza de Mataró prohibió que unas niñas de Malí volvieran a su país dado el riesgo que tenían de sufrir ablación. Unos días después, la fiscalía del Tribunal Superior de Justicia de Aragón (TSJA) abrió diligencias para investigar seis casos de ablación sufridos por niñas de origen africano que fueron detectados por pediatras de dos centros de salud de Zaragoza. El fiscal jefe del TSJA, Alfonso Arroyo de las Heras, dicidió investigar los casos de mutilación de clítoris denunciados por el portavoz del grupo socialista del Ayuntamiento de Zaragoza. Según declaró el edil del PSOE, este rito «es un delito, una forma extrema de violencia y marginación de la mujer», que hay que castigar e investigar, especialmente en hospitales y centros de salud. Igualmente en Banyolas (Gerona), la policía autonómica catalana abrió una investigación por las sospechas que recaían sobre la comunidad gambiana de realización de ablaciones por 15.000 pesetas. La Generalitat advirtió a los médicos de Gerona que extremaran la vigilancia para impedir este tipo de prácticas y comunicaran cualquier tipo de mutilaciones de este tipo.

En mayo de e001, el Partido Socialista se mostró particularmente beligerante contra la ablación, propuso medidas legales concretas. El senador socialista Juan Alberto Belloch aseguró que «no tenemos datos pero sí la convicción de que ya se está practicando también en España» la mutilación genital de las mujeres. Belloch presentó esta iniciativa junto al portavoz del grupo socialista en el Senado, Juan José Laborda, el cual aseguró que esta propuesta del PSOE «no es oportunista», sino que responde al deseo de su grupo de que los inmigrantes vengan a España y se integren, pero siempre respetando la integridad física y psíquica de sus hijas. Los socialistas propusieron la modificación del artículo 149 del Código Penal, para penar de forma especifica la mutilación genital femenina, la Modificación del artículo 23 de la ley Orgánica del poder Judicial para permitir el enjuiciamiento de aquellos inmigrantes que han practicado la mutilación fuera de España pero se encuentran dentro del territorio nacional. Se aprobó la proposición no de ley por la que se instaba al Gobierno a advertir a los inmigrantes de que la mutilación o ablación genital femenina es un delito castigado en España con penas de entre 3 y 12 años.

Para la sociedad española, la ablación del clítoris supone una de las prácticas más horribles que pueda realizar una sociedad contra sus hijas. Repugna, no sólo la posibilidad de pensar que aquí y ahora, en nuestra tierra, se estén cometiendo estas atrocidades, sino que 130 millones de mujeres hayan sido víctimas de esta mutilación brutal que se practica de forma legal en 25 países y se tolera en otros 40...

CONCLUSIÓN

El problema de la inmigración en España –por que a la vista de lo dicho, la inmigración puede ser considerada como un problema– es muy reciente. A principios de los años 90, estaba completamente ausente de la sociedad. La prueba es que las estadísticas apenas mostraban rastros de xenofobia y los atentados racistas eran una excepción.

La primera de la que se tiene constancia se había producido en junio de 1992 cuando un grupo de inmigrantes magrebíes fue objeto de un brutal apaleamiento mientras dormían. Trece vecinos de Fraga (Huesca), donde tuvo lugar el suceso, fueron encarcelados.

El 27 de septiembre de ese mismo año, un grupo de skins de entre 16 y 23 años apaleó en la plaza de Lesseps de Barcelona a un ciudadano guineano. Finalmente, el 13 de noviembre de 1992 se produjo el asesinato de Lucrecia Pérez, dominicana de 33 años, en las ruinas de la discoteca «Four Roses» (Aravaca). A partir de ese momento se produjo una movilización social contra el racismo y la xenofobia.

Sin embargo, es rigurosamente cierto, que en ese momento, salvo estos casos –que no podían considerarse sino excepciones– no existía problema de xenofobia. Los únicos grupos activos que mantenían actitudes de ese tipo, eran los «skins». Y vale la pena recordar que eran y son los skins: una tribu urbana formada por adolescentes.

A una sociedad no se la puede condenar por racista por las acciones de unos grupos de adolescentes agresivos cuyas acciones solamente les criminalizaban a ellos.

En aquel momento, la inmigración en España vivía su época dorada: tenía máximas facilidades para entrar en nuestro país, disponía de una legislación extremadamente generosa y, además, era minoritaria, con lo cual lograba evitar el problema de la masificación y la desconfianza que podía generar. Además, se beneficiaba de la presencia en el poder de un partido (el PSOE) que, en aquel momento, sostenía una postura muy liberal en esta materia.

Esta situación favorable no impidió que el 24 de octubre de 1993, la Federación de Inmigrantes reunida en Calella pidiera la derogación de la Ley de Extranjería, al considerarla «una fuente de múltiples injusticias y discriminaciones». Los 1500 asistentes pidieron la apertura de un nuevo periodo de regularización que «permita salir de la clandestinidad a muchos inmigrantes que se encuentran en situación ilegal». La Federación, que agrupaba a catorce colectivos y asociaciones de inmigrantes, en un desafío a la lógica y la racionalidad consideraba que la discriminación racista que, según ellos existía en España, «está promovida por la propia administración» (es decir, por el PSOE). Paradójicamente, dos días después el PSOE, por su parte, alardeaba en foros europeos de su liberalidad en cuestiones de inmigración. Cristina Narbona, secretaria de Estado, reiteraba la voluntad del gobierno de mostrarse partidaria de «oponerse claramente a cualquier brote de xenofobia». Por su parte, el entonces ministro José Borrell, explicaba que la legislación española es la más generosa de toda la Unión Europea en materia de asilo e inmigración.

En febrero de 1990, España, a través del secretario de Estado para la Cooperación Internacional y para Iberoamérica, Luis Yáñez, aseguró en Buenos Aires que el Gobierno de España se opondría a los intentos comunitarios de exigir visados a los latinoamericanos que visiten Europa después de 1992.

En Latinoamérica se vivía con preocupación la creación de un espacio único europeo a partir de 1993. Yánez les tranquilizó: la medida tendría la ventaja de que cualquier viajero deberá cruzar un único paso para los doce países de la Comunidad. Lo cierto es que los controles aduaneros sobre latinoamericanos habían aumentado en España a causa de «un incremento importante de la delincuencia por parte de latinoamericanos en las ciudades, sobre todo en Madrid», aseguró. Era 1990...

Fíjense si el PP tenía interés en saber cuántos inmigrantes legales e ilegales existían en España que el 15 de enero de 1991, su grupo del Senado reiteró la necesidad de realizar un censo «para evitar que ganen terreno las posiciones e ideas racistas». El senador Luis Manuel Fraga aseguró entonces que la marginación de los extranjeros residentes en España no sólo es consecuencia de ideas xenófobas, sino que también pueden tener su origen en una legislación ineficaz o en errores en la política del Ejecutivo ante la inmigración. Luis Manuel Fraga denunció que el gobierno no cumplía la normativa en materia de inmigración, y que tal incumplimiento generaba «bolsas de marginación y de delincuencia». Es decir, lo mismo exactamente que puede reprochársele al PP diez años después.

Da la sensación de que aquel era otro país. El 5 de julio de 1990, el grupo popular del Senado exigió enérgicamente que el Gobierno adoptara medidas para regular la inmigración en España de acuerdo con las normas de Derecho Internacional y los convenios existentes. El PP, se había erigido como valedor de los derechos de los inmigrantes. El portavoz del PP en el Senado, José Miguel Ortí, aseguró que la Ley de Extranjería «está produciendo lesiones de los derechos y libertades de los extranjeros en España» y añadió que no hay datos fiables sobre el número de inmigrantes en España. «Sin embargo, cada día aumenta el número de extranjeros clandestinos que trabajan en sectores determinados de la industria o los servicios, sin ninguna garantía sobre su destino», añadió el portavoz del PP. Ortí exigió al Gobierno que informara sobre las medidas que está adoptando para evitar el racismo y la explotación de personas, «principalmente árabes y africanos que son utilizados como mano de obra barata». A estas alturas la sociedad española se ha habituado a que los partidos políticos en la oposición digan justo lo contrario de lo que luego hacen una vez en el poder. Por que es bastante irónico que el PP exigiera conocer el número de inmigrantes ilegales residentes en España –en un período que eran inapreciables– y una vez en el poder no quiera conocer el mismo dato.

Cuando se examinan las noticias de aquel lejano 1993 parece como si la lógica hubiera abandonado a muchos. Al embajador marroquí, por ejemplo. El 27 de mayo, Azzedine Guessous, acusó a la Comunidad Europea de tener el objetivo común de expulsar a los inmigrantes, y recordó que en Europa vivían trece millones de extranjeros, de los cuales ocho millones procedían de América Latina, Asia y África. El embajador indicó que los países de la Comunidad Europea (CE) no tienen una política común frente a la inmigración, «aunque la Europa de la policía sí tiene el mismo objetivo, que es la expulsión de los inmigrantes». En aquella ocasión el embajador marroquí distinguió entre integración y asimilación, «porque integrar es reconocerles el derecho a una vivienda, seguridad social e igualdad frente a los trabajadores europeos, mientras que la asimilación es la pérdida de la identidad cultural», aunque señaló que la ausencia de una política de integración «es lo que está llevando al inmigrante a la marginación».

No habló por supuesto de la miseria, la injusticia, la falta de libertades democráticas, el sistema económico y social más propio del medievo y el desinterés de la monarquía alahuíta por el bienestar de su población. Añadió que los inmigrantes marroquíes eran diferenciados por su religión islámica, «que es presentada por los medios de comunicación, y por culpa de una mala utilización de la misma en algunos países árabes fundamentalistas, como un peligro».

Las declaraciones del embajador eran sencillamente un intento de culpabilizar a la Unión Europea de algo que sólo era responsabilidad del gobierno marroquí: arrojar a la inmigración a un gran numero de sus súbditos.

Además, España era el país de la UE que en aquel momento concedía mayor reconocimiento al Islam. En efecto, el 5 de agosto de 1994, la Fundación Giovanni Agnelli facilitó las conclusiones del informe «El Islam en Europa y en Italia» que había elaborado en los dos últimos años. El informe explicaba que el severo control de las fronteras aplicado por los países nórdicos terminó convirtiendo a España e Italia en lugares de definitivos de asentamiento de los inmigrantes. El informe subrayaba que en el proceso de estabilización de esta población inmigrante el Islam se había convertido en el elemento aglutinante y la seña de identidad para su inserción en la sociedad europea. En España vivían en la época 250.000 musulmanes inmigrados.

Europa no ha dado respuestas uniformes: se va de la posición francesa de intransigente defensa de la laicidad del Estado a los comportamientos más suaves de otros países católicos hasta las orientaciones, al menos en línea de principios más pluralistas, de algunos países protestantes. Según el informe, el acuerdo del 28 de abril de 1992 entre el Estado y la «Comisión Islámica de España» es el que concedía «mayores reconocimientos a la religión islámica, pese a que la inmigración sea un fenómeno muy reciente y que la población de origen musulmán no supere el 0,6 por ciento de la total».

El gobierno socialista había reconocido que el Islam es «de tradición secular en nuestro país y de relevante importancia en la formación de la identidad española», algo que, como mínimo es discutible, pues da más bien la sensación de que, precisamente la identidad española se formó en lucha el Islam, desde la legendaria traición de Don Opas hasta Lepanto; pero ya se sabe que la historia tiene un punto de subjetividad adaptable a lo que cada cual quiera demostrar.

Además en 1992, no se trataba de impedir la entrada de inmigrantes, sino de favorecerla. Pero sólo algunos altos funcionarios tenían una idea exacta de la situación. El 9 de julio de 1992 el director general de Política Exterior para África y Medio Oriente, Jorge Dezcallar, dijo en Santander que «no interesa impedir la entrada de magrebíes en España». Dezcallar aseguró en rueda de prensa que la política de visados no va a impedir la entrada en España de los magrebíes y consideró que «lo único que se puede pretender es ordenar esta inmigración, y no es nuestro interés impedirla porque aquí hay trabajos que no hace nadie».

El entonces director general de política Exterior para África indicó que esta inmigración se puede controlar y ordenar de manera que los magrebíes realicen trabajos como la recogida de la vendimia, la aceituna o la construcción de carreteras. Aseguró que el Magreb es «una auténtica bomba de relojería» y señaló que en esa zona se están incubando tensiones «que o ponemos remedio o pagaremos todos las consecuencias». Terminó destacando que Europa no podrá vivir «en una fortaleza de seguridad y de bienestar si tenemos unos lazos al este, pero también al sur, desestabilizados y en ebullición», y agregó que, por razones de solidaridad y de egoísmo, nos interesa ayudar a los pueblos del Magreb. Esta lucidez en la argumentación fue, sin duda, lo que le valió ser colocado al frente de los servicios secretos españoles en 2002.

Cuando Dezcallar hablaba de que no interesaba impedir la entrada de magrebíes, no estaba haciendo otra cosa más que reproducir las orientaciones que la secretaria general del Consejo de Europa había resumido el 19 se septiembre de 1991. En efecto, Catherine Lalumiere, afirmó entonces que el «control de la inmigracion clandestina no debe ser prioritario» en la política de los Estados europeos. Lalumiere, pronunció estas palabras en la inauguración de la IV Conferencia de ministros europeos responsables de asuntos migratorios. Insistió en que la vigilancia fronteriza, si bien es necesaria, sólo debe ser el último eslabón de una política concertada. «Es urgente aportar soluciones que no sacrifiquen los principios de los derechos humanos», subrayó la secretaria del Consejo de Europa. El documento presentado a debate reconocía que España se encuentra en la «vanguardia de los países europeos que acogen a los nuevos inmigrantes». La posición de Lalumiere era evidentemente pro-inmigracionista. Esto contrastaba con un deslizamiento lento, pero gradual, de la opinión pública europea que tendía cada vez más a considerar a la inmigración como problema.

Entender este proceso es simple: las bolsas de inmigrantes tienden a asentarse en los barrios más baratos, allí coinciden con capas de la clase obrera europea y es precisamente allí donde surgen los roces y las fricciones, no en los barrios donde viven las cuerpos sociales más favorecidos por la fortuna. Estos, habitualmente, tienen como imagen del inmigrante a la asistenta filipina, al jardinero marroquí y al chófer andino. Además han encargado la custodio de su hogar a una empresa de seguridad privada y viven en una urbanización que, a su vez, está vigilado por otra empresa privada... Y, muy probablemente, algunas de estas familias privilegiadas tengan en sus empresas contratados a muchos inmigrantes. Diferente es la situación de las clases trabajadoras que tienen que convivir constantemente con las inmigrantes.

Es ahí precisamente en donde se evidencia el choque de culturas y donde la convivencia genera, por sí misma, conflictos. Además, son esos barrios los más azotados por la inseguridad ciudadana. Y, también los más afectados por el paro. Es frecuente que en estos barrios no se entienda el por qué vienen trabajadores extranjeros cuando no hay trabajo para los de aquí. Por lo demás, algunas de estas comunidades inmigrantes son extremadamente cerradas (a esto contribuyen las costumbres islámicas en aspectos alimentarios) y generan recelo y desconfianza.

Grupos juveniles de inmigrantes tienen la sensación de que se les discrimina por el color de su piel, por su forma de hablar o por su origen y reaccionan sublimando su decepción en agresividad. Además, algunas comunidades inmigrantes no ven la necesidad de que sus hijos estudien, cuando cumplan la edad legal sus padres los pondrán a trabajar. Otras, no dominan el idioma. El resultado es que algunas comunidades tienen un alto índice de fracaso escolar. Esto acentúa su resentimiento y su sensación de diferencia con la comunidad de acogida, sublimando en algunos casos una agresividad contra sus compañeros y contra la misma sociedad. La irrupción de la banda juvenil andina de los «Latin Kings» en los institutos de Madrid y su contagio a Barcelona, ha evidenciado que el mismo proceso que se ha vivido en Francia con las bandas de «sauvajeots», se ha reproducido en España.

La única conclusión que pueda extraerse de todo lo dicho hasta ahora es que España tiene un problema y ese problema es la inmigración masiva. No es, desde luego, ni el mayor problema que afrontamos, ni el único que puede ensombrecer nuestro futuro. Pero es, a la postre, un problema que puede agudizarse con el paso del tiempo. Así ha ocurrido en Francia. Cuando una población civilizada y con un elevado nivel cultural como el galo, termina centrándose en un único debate sobre inmigración e inseguridad cuando 1 de cada 5 electores entrega su voto a una formación política que propone medidas radicales para cortar los flujos migratorios... es que ahí hay un problema, no potencial, sino cotidiano. ¿Puede ser éste nuestro futuro? Si las actuales tendencias al descontrol de la inmigración y a la entrada sin grandes dificultades de los inmigrantes no se corrigen, la respuesta a esta pregunta es si.

Durante el gobierno del PSOE el problema era inexistente y podía entenderse que por una tradición ideológica muy específica de la izquierda, la política socialista fuera de manga ancha con la inmigración. También puede entenderse que un PP en la oposición aprovechara cualquier atisbo de problema para magnificarlo y utilizarlo como arma electoral. Lo que ya resulta mucho menos aceptable es lo que ocurrió a partir de las elecciones de 1996.

Dos leyes de inmigración en apenas un año y tres reformas en los tres años siguientes, un fenómeno que se había previsto desde mediados de los años 80 y que eclosiona sin que el Ministerio del Interior reaccione, una descontrol total de las cifras de inmigrantes ilegales, la ausencia de iniciativas para paliar la riada de recién llegados, el retraso innecesario de medidas que eran urgentes desde 1997, etc... todo ello ha sido la política del PP en materia de inmigración. Por su parte, este ha sido para el PSOE el tiempo de los «giros copernicanos» sobre la materia.

La cuestión es: ¿la inmigración masiva es nuestro destino? ¿puede aliviarse la presión migratoria del sur? La respuesta es si, a condición de... mitigar los efectos perversos de la globalización, disipar cualquier rastro de «efecto llamada», recurrir a la inmigración estacional, estimular los nacimientos de las familias españolas mediante una adecuada política fiscal y de subvenciones, ayudar al desarrollo de las economías del Tercer Mundo, generar una legislación social que equipare los derechos salariales de los inmigrantes al de los españoles, aumentando el control de fronteras, agilizando las repatriaciones, limitando las reagrupaciones familiares, etc., etc., etc.

La sensación que empieza a tener buena parte de la población española es que hay excesivos inmigrantes y que se ha ido demasiado lejos en este terreno. En el momento en que se manifiestan los síntomas de la próxima crisis cíclica de la economía europea, esta opinión aumentará y resultará muy difícil quitar la razón a quienes opinan que el contingente de parados españoles disminuiría con las repatriaciones masivas de inmigrantes.

Pero hay algo peor. Los partidos políticos no se han preocupado en absoluto de este problema. El problema ha larvado durante años y finalmente ha eclosionado.

A pesar de que estaba previsto, las luchas partidarias y el aprovechamiento de los puntos débiles del contrario, han hecho que la inmigración fuera utilizada como arma arrojadiza de unos contra otros y viceversa, sin el más mínimo pudor. La existencia del problema solamente se ha reconocido cuando ya era inocultable y del dominio público.

En el tema de la seguridad ciudadana, por ejemplo, Mariano

Rajoy, en junio de 2002, sostenía que no había aumento de la delincuencia y, en cualquier caso, que no tenía nada que ver con la inmigración. En septiembre de ese mismo año, a la vista de la evolución de los sondeos electorales, el presidente Aznar se veía obligado a reconocer que efectivamente la «pequeña delincuencia» había aumentado y que existía algún tipo de nexo con la inmigración masiva. Fue entonces cuando dictó una batería de medidas, buena parte de las cuales deberán esperar a la próximas legislatura para ser aplicadas.

Hasta el 10 de septiembre de 2003 no se habían tomado medidas para cerrar fronteras al flujo masivo de inmigrantes, por que estos convenían a determinados sectores de la economía. Se ha rechazado aplicar medidas necesarias, no tanto en beneficio del interés general (ya hemos visto que resulta muy problemática e incluso ingenuo pensar que la llegada masiva de inmigrantes contribuirá a que el Estado pueda afrontar el pago de pensiones de jubilación en años venideros), como del interés de sectores económicos (hostelería y construcción, fundamentalmente) con gran influencia en los aparatos de poder (ayer en el socialista y hoy en el popular, tal como ha demostrado el caso de la corrupción inmobiliaria en la Asamblea de Madrid).

El Estado pierde, la sociedad pierde, un sector privado gana. El Estado pierde por que tiene que dedicar cada vez más recursos al problema (dotaciones policiales, penitenciarias, servicios sociales, ayudas de todo tipo). La sociedad pierde por que aparecen fenómenos de tipo racista y xenófobo de un lado y de otros esa sociedad es víctima de la inseguridad, el choque de cultural y el mantenimiento de los salarios más bajos a límites que imposibilitan una normal vida cotidiana.

Un sector privado gana por que optimiza sus beneficios: recurre a mano de obra más barata, frecuentemente ilegal, con lo que no tiene que afrontar cargas sociales, pero no rebaja los precios, sino que, antes bien, los aumenta; el negocio es redondo.

Finalmente, nos encontramos con las argumentaciones y los

razonamientos de los grupos pro-inmigracionistas. Su discurso básicamente es el siguiente: en una sociedad democrática, la defensa de los derechos humanos es algo irrenunciable; los inmigrantes ven limitados esos derechos luego hay que defenderlos, impedir la difusión de ideas racistas y xenófobas y al ser el sector más débil de la sociedad precisan de todo tipo de ayudas y apoyos. No negamos que esto sea así: que los derechos humanos deban respetarse en cualquier circunstancia y situación. No negamos que la discriminación por el color de la piel o la cultura sea algo odioso que deba estar proscrito en una sociedad civilizada. Lo que negamos es que ese sea el centro de la cuestión.

El centro está en otra parte: la discusión es si el modelo globalizador es aceptable o no. Y si no es aceptable –como a nuestro juicio no lo es, en la medida en que favorece las grandes concentraciones de capital, las desigualdades sociales y regionales– actuar en consecuencia. Supone una contradicción rechazar la globalización y proponer que se apoye uno de sus consecuencias: la inmigración masiva.

Por lo demás, estas asociaciones pro-inmigracionistas olvidan que en España no ha existido un problema mientras la inmigración no se ha convertido en un fenómeno masivo. Es precisamente ese carácter masivo lo que hace que factores que, en sí mismos, no son preocupantes, cuando alcanzan una cierta frecuencia y un límite cuantitativo, terminen estallando. Si era concebible que hasta 1996 el eje de la cuestión estuviera situado en la defensa de los derechos de los inmigrantes (por que había poca inmigración), a partir de esa fecha, su transformación en fenómeno de masas hizo que para establecer una opinión sobre el tema hubiera que incorporar nuevos elementos que desplazaban el centro del problema a cuestiones como la inseguridad, el paro nacional, el conflicto de culturas, la irrupción del integrismo islámico, la difícil integración de ciertas comunidades de inmigrantes, etc.

El año 2000 estuvo marcado por los sucesos de El Ejido. De aquella semana de incidentes solamente se recuerda que unos ciudadanos enloquecidos intentaron linchar a varios miembros de la comunidad magrebí y propinaron palizas a varios. Pero esta agresividad incontrolada e irracional fue la reacción contra tres asesinatos cometidos en menos de diez días por dos delincuentes miembros de la comunidad magrebí contra ciudadanos de El Ejido.

Si las autoridades de Interior hubieran advertido que desde principios de 1999, el índice de delitos había aumentado significativamente en El Ejido, habrían actuado en consecuencia y, probablemente, no hubieran sido asesinados 3 ciudadanos, y muchos cientos no hubieran visto sus hogares expoliados. Y, en consecuencia, seguramente, tampoco se habría llegado al estallido general de cólera que finalmente tuvo lugar.

Nadie puede justificar aquellos incidentes que, por lo demás, ya han sido juzgados por los tribunales, pero tampoco nadie nos puede negar el derecho a revisar lo que pasó en El Ejido y a comprender (no a justificar) por qué y cómo se acumuló un formidable potencial explosivo que terminó estallando pocas horas después del tercer asesinato.

Lo contradictorio de la vida humana es que algo tan importante es, al mismo tiempo, extremadamente frágil. De ahí lo que sucedió en El Ejido deba de ser una lección para todos. Cuando por negligencia o por subordinación a lo políticamente correcto, un Estado renuncia a ejercer su autoridad y permite que en la sociedad se vaya acumulando tal potencial de odio y resentimiento como ocurrió en El Ejido, ese Estado es culpable.

Y esta es la conclusión final: si la inmigración de ser necesaria ha pasado a ser masiva, de ser una excepción se ha convertido en un fenómeno de masas y por todo ello se ha convertido en problema no es por culpa de los inmigrantes –con motivaciones económicas comprensibles– sino por que determinados esferas de poder, al intentar beneficiar los intereses de sectores económicos concretos, ha dejado voluntariamente incubar un problema. Pues bien, ese mismo Estado tienen medios y recursos policiales y legislativos s como para coger el toro por los cuernos y resolver el conflicto.

Otros títulos de Pyre, s.l.

Indice